Para com votos de paz.

NOTA DA EDITORA

A Bíblia está entre nós há muito tempo. Foram muitos anos com cópias e traduções para quase 750 idiomas diferentes. Cada denominação cristã atualmente tem uma versão própria, com diferenças entre elas, o que pode ser averiguado com simples comparações. A benfeitora Amélia Rodrigues, notória poetisa baiana e professora quando encarnada, do Mundo espiritual descreve-nos fatos da vida de Jesus em suas obras. Conforme já elucidado pela própria autora espiritual, suas narrativas evangélicas contêm informações "**hauridas nos alfarrábios do Mundo espiritual e nas memórias arquivadas em obras de incomum profundidade por alguns dos seus apóstolos e contemporâneos, encontradas nas bibliotecas do Mais-além, que trazemos ao conhecimento dos nossos leitores, a fim de revivermos juntos o sublime Ministério do Rei Solar a quem amamos com entranhado enternecimento**".* Portanto, no texto mediúnico proposto por ela, há informações que não necessariamente são abordadas e descritas na literatura terrena.

---

* FRANCO, Divaldo; RODRIGUES, Amélia [Espírito]. **A mensagem do amor imortal**. 1. ed. Salvador: LEAL, 2008, Prefácio. Vide também as obras *Primícias do Reino* (Prólogo) e *Luz do mundo* (Antelógio).

DIVALDO FRANCO
Pelo Espírito AMÉLIA RODRIGUES

PELOS CAMINHOS DE JESUS

SÉRIE AMÉLIA RODRIGUES – VOL. 5

EDITORA LEAL

SALVADOR
1. ED. ESPECIAL – 2024

COPYRIGHT ©(1987)
CENTRO ESPÍRITA CAMINHO DA REDENÇÃO
Rua Jayme Vieira Lima, 104
Pau da Lima, Salvador, BA.
CEP 412350-000
SITE: https://mansaodocaminho.com.br
EDIÇÃO: 1. ed. – 2024
TIRAGEM: 1.000 exemplares
COORDENAÇÃO EDITORIAL
Lívia Maria Costa Sousa

REVISÃO
Adriano Ferreira · Luciano Urpia
CAPA E MONTAGEM DE CAPA
Ailton Bosco
EDITORAÇÃO ELETRÔNICA
Ailton Bosco
GLOSSÁRIO: Cleber Gonçalves, Lenise Gonçalves e Augusto Rocha
COEDIÇÃO E PUBLICAÇÃO
Instituto Beneficente Boa Nova

PRODUÇÃO GRÁFICA
LIVRARIA ESPÍRITA ALVORADA EDITORA – LEAL
E-mail: editora.leal@cecr.com.br

DISTRIBUIÇÃO
INSTITUTO BENEFICENTE BOA NOVA
Av. Porto Ferreira, 1031, Parque Iracema. CEP 15809-020
Catanduva-SP.
Contatos: (17) 3531-4444 | (17) 99777-7413 (WhatsApp)
E-mail: boanova@boanova.net
Vendas on-line: https://www.livrarialeal.com.br

Dados Internacionais de Catalogação na Publicação (CIP)
(Catalogação na fonte)
BIBLIOTECA JOANNA DE ÂNGELIS

F825   FRANCO, Divaldo Pereira. (1927)

Pelos caminhos de Jesus. 1. ed. especial / Pelo Espírito Amélia Rodrigues [psicografado por] Divaldo Pereira Franco, Salvador: LEAL, 2024.
200 p.
ISBN: 978-65-86256-52-9

1. Espiritismo 2. Psicografia 3. Evangelho
I. Título II. Divaldo Franco

CDD: 133.93

Bibliotecária responsável: Maria Suely de Castro Martins – CRB-5/509

DIREITOS RESERVADOS: todos os direitos de reprodução, cópia, comunicação ao público e exploração econômica desta obra estão reservados, única e exclusivamente, para o Centro Espírita Caminho da Redenção. Proibida a sua reprodução parcial ou total, por qualquer meio, sem expressa autorização, nos termos da Lei 9.610/98.
Impresso no Brasil | Presita en Brazilo

SUMÁRIO

Pelos caminhos de Jesus   7
Síntese histórica   11
1   O grande desafio   17
2   A Grande Luz   21
3   A Magna Carta   27
4   Glória da vida   35
5   Prenúncios da Era Nova   43
6   Herdeiros da Terra   49
7   Na Transjordânia – a liberdade   55
8   A Era do Amor   63
9   Candidatos ao Reino   69
10   Amor sem limites   77
11   A cegueira maior   85
12   ...E expulsaram-nO dali   91
13   Perdão: a melhor terapia   97
14   A confiança em Deus   103
15   Encontro de reparação   111
16   A arte de orar   117
17   Jesus e as agressões do mundo   121
18   Inesquecível diálogo   127
19   Ergue-te e vai!   133
20   O poema do perdão   139
21   O anjo da fé   145
22   ...Fortalece os teus irmãos   151
23   O Anjo da Misericórdia   157
24   Barrabás, Pilatos e Jesus   163
25   Prisão e liberdade   169
Glossário   175

PELOS CAMINHOS DE JESUS

P*ara todas as direções existem caminhos. Há curtos caminhos que conduzem à loucura e ao suicídio, ao crime e ao desespero.*

Também os há largos e longos, que facultam a embriaguez dos sentidos, o desregramento da emoção nos compromissos infelizes.

<u>Veredas</u> surgem sem saída, e estradas se apresentam sem fim...

A vida, em si mesma, é um caminho que cada criatura percorre na experiência existencial com êxito ou fracasso, conforme a opção feita.

Todos seguimos por caminhos variados, muitas vezes ignorando o ponto a que nos levam.

Os insensatos mudam de trilha conforme a variedade das sensações consumidoras a que se entregam.

Os egoístas elegem as vias solitárias nas quais se perturbam após longa marcha.

Os <u>precipitados</u> atiram-se pelas rotas <u>escarpadas</u>, tombando em abismos de sofrimentos inenarráveis.

Os perversos seguem as trilhas da <u>iniquidade</u> e perdem-se em sombras espessas.

Os lidadores do bem seguem os caminhos da esperança e se iluminam.

Os servidores da caridade movimentam-se nas trilhas do sacrifício e chegam aos portos da paz.

Os apóstolos do amor elegem os roteiros da ação dignificante e repousam nos climas da <u>ventura</u> que alcançam.

Na diversidade de caminhos, os homens perturbam-se ou libertam-se...

Ninguém, no entanto, que siga pelos caminhos de Jesus deixará de alcançar a meta que persegue: a felicidade integral.

O apostolado de Jesus, na Terra, prossegue com atualidade, nestes dias tumultuosos, atraindo as vidas que se perdem noutros rumos.

Pavimentado com a humildade e a renúncia, dá segurança, proporcionando alegria e bem-estar.

Passam os séculos, e, das lições por Ele ministradas, <u>ressumam</u> a harmonia e a alegria de viver.

Resumimos, neste livro, algumas experiências vividas e retiradas dos ensinamentos sábios do Mestre Incomparável, a fim de contribuir, de alguma forma positiva, em favor do homem moderno, superconfortado sob alguns aspectos e noutros inquieto, <u>atribulado</u>, senão infeliz.

Nunca, qual ocorre nestes tempos, Jesus foi tão necessário e oportuno.

A tecnologia, que conseguiu <u>logros</u> relevantes e respeitados, não libertou o homem dos seus inúmeros problemas.

As "ciências da alma", multiplicadas em escolas e ricas de conceitos valiosos, não têm podido conduzir as mentes com segurança, por falta mesmo de objetivos seguros e legítimos.

A ética parece ter enlouquecido, numa civilização em que a máquina pretende *substituir o homem, parecendo ajudá-lo.*

A violência ganha as ruas do mundo e a cultura hipertrofia-se em chavões e equívocos lamentáveis, mantendo-se na superfície da informação destituída de profundidade de conceito e de dignificação para o homem.

Em todo lugar, estão presentes as sementes do medo, da perturbação, da agressividade...

Sem pessimismo de nossa parte, não podemos negar os trágicos enganos das conquistas contemporâneas, ao lado, porém, de outras certamente glorificadoras do século e dos que nele vivem.

❦

Necessário parar na <u>desabalada</u> corrida da "falta de tempo", para revisar, reconsiderar, repensar Jesus.

Volver aos Seus caminhos e repercorrê-los, com reflexão e ternura, é tarefa inadiável.

Ao fazê-lo, cada indivíduo, sem dúvida, experimentará o calor da presença d'Ele e a <u>imanência</u> do Seu amor, permeando-lhe a existência.

Ninguém que possa <u>prescindir</u> d'Ele e ser realmente feliz.

A nossa proposta aqui fica, nestas páginas repassadas de carinho, que escrevemos com as mais elevadas emoções espirituais, como contribuição, insignificante embora, para todo aquele que se encontre insatisfeito*, ou* inquieto*, ou <u>aturdido</u>, ou mantenha o anseio de conquistar o* Reino de Deus*, em última hipótese, existente no próprio coração, aguardando.*

Amélia Rodrigues
Salvador, 9 de setembro de 1987.

SÍNTESE HISTÓRICA

Qualquer narrativa em torno da incomparável personalidade de Jesus ou da evocação dos Seus feitos insuperáveis não pode prescindir de uma análise, perfunctória que seja, da terra onde Ele viveu e do povo que a habitava.

Somente assim se poderá compreender a posição por Ele assumida ante as transitórias governanças política e religiosa então vigentes, características desse povo sofredor, obstinado e temente a Deus, que vivia num verdadeiro oásis de monoteísmo, situado no imenso deserto de politeísmo no qual se desenvolveram as civilizações da Antiguidade...

Jamais um povo e sua cultura experimentaram maior soma de perseguições e padecimentos no curso da História, sobrevivendo a todas as penosas injunções, fiel às suas crenças e tradições.

A Palestina, que literalmente significa "terra dos filisteus", está encravada entre o Mediterrâneo, o Líbano, o Deserto da Síria, na região denominada Oriente Próximo. Inicialmente, a sua localização geográfica a punha na encruzilhada das grandes e indispensáveis rotas comerciais que levavam, na Ásia Menor, ao Egito, à Mesopotâmia e à Arábia.

Graças a isso, experimentou sucessivas invasões dos egípcios, mesopotâmios, persas e, por fim, dos romanos, que a destroçaram por largos séculos...

Quando os hebreus ali chegaram e se impuseram, esmagaram os filisteus, que a habitavam, e aos quais deve o nome, que se deriva de Filístia, por volta do século XIV a.C.

Os filisteus habitavam-lhe uma estreita faixa de terra, litorânea de Jope, no Deserto de Gaza.

Como estado hebreu, a Palestina, com raros intervalos, foi governada pelos seus membros entre 1025 a.C. até 135 a.C. Os seus reis a conduziram até aproximadamente 586 a.C.

Pelos acontecimentos históricos que ali tiveram lugar, foi denominada como "Terra Santa", em face das ocorrências bíblicas que lhe deram notoriedade, unindo fatos e revelações humanas, bem como espirituais, igualmente por se tornar o lugar do nascimento de Jesus. Também foi chamada "Terra de Canaã" ou de "fartura e alegria", "Terra da Promissão", Filístia...

Por volta do século IV a.C., Alexandre e suas hostes conquistaram os persas e, consequentemente, dominaram a Palestina, que passou a experimentar-lhes o jugo dominador.

Com a desencarnação do conquistador, por volta de 323 a.C., a dinastia dos Ptolomeus, que houvera sido fundada por um dos generais do macedônio e que se apoderara do Egito, entrou em luta com a dos Selêucidas – de idêntica origem –, que dominava a Síria, por causa da Palestina...

Alexandre, nas suas conquistas, mantinha uma ideologia que, acima do desejo de conquistar o mundo, pretendia unir os povos numa mesma civilização eminentemente helenizada. Como consequência, o helenismo objetivava unir os elementos culturais gregos com os tomados dos países conquistados, embora com características variantes entre os diversos povos.

Não <u>obstante</u>, a bacia do Mediterrâneo propiciou-lhe a unidade que serviria, de início, para a expansão do Império Romano e, providencialmente depois, para a propagação do Evangelho de Jesus.

Os judeus, porém, reagiram vigorosamente contra o helenismo, a princípio, qual ocorreu mais tarde contra o romanismo, que em ambas as culturas viam poderosa ameaça à fé no Deus Único de Israel.

Por esta razão, os conflitos se fizeram constantes entre as imposições dos dominadores e as raízes religiosas da tradição judaica.

O ápice dessas lutas teve lugar com a rebelião dos Macabeus, quando o sacerdote Matatias e, posteriormente, os seus filhos Jônatan, Judas e Simeão[1] se opuseram ao helenismo dos selêucidas, que tentavam impor os deuses pagãos aos judeus.

O movimento logrou algum êxito, porém João Hircano, filho de Simeão Macabeu, amolentou-se, fazendo concessões aos gentios e amoldando-se aos hábitos dos povos fronteiriços que mantinham costumes helênicos, originando-se aí a grande perseguição...

No ano 63 a.C., Pompeu pôs fim à dinastia dos macabeus, depondo Aristóbulo II e devolvendo, mais tarde, aos descendentes deste, alguma autoridade, em funções de sumo sacerdote e etnarca.

---

1. Vide "Respingos históricos", do livro *Primícias do Reino*, de nossa autoria (nota da autora espiritual).

Herodes, que houvera sido nomeado "rei da Judeia" pelos conquistadores romanos, no ano 40 a.C., foi o último dos descendentes macabeus, considerando-se que sua esposa procedia deste clã.

Herodes, desejando agradar os romanos – que, embora condescendentes com os seus povos no que tangia à cultura e à religião, não entendiam a obstinação judaica –, tentou introduzir o helenismo no país, construindo templos em honra a Roma e a César Augusto, quer na Samaria, quer em Cesareia... Todavia, quando intentou colocar uma águia de ouro – símbolo de Roma – na entrada do templo, em Jerusalém, erguido e embelezado ao longo dos séculos, os judeus se rebelaram, e ele teve que se utilizar da violência sangrenta para manter a ordem...

Os seus sucessores prosseguiram em tentativas helenizantes, o que motivou contínuas e lamentáveis rebeliões...

Foi neste clima que nasceu Jesus...

Ele era ainda criança quando o etnarca Arquelau, para abafar a nova sublevação judaica, recorreu às tropas romanas que, sob o comando de Varo, destruíram Séforis, capital da Galileia, crucificando 2 mil rebeldes...

Para sobreviver, em face das circunstâncias, os judeus dividiam-se em partidos, dentre os quais se destacou o dos fariseus, que era o mais tenaz e intolerante, contra o qual, inúmeras vezes, levantou-se Jesus.

Caracterizados pela exagerada observância da Lei, chegavam a manter 600 deveres, que lhes pareciam indispensáveis para uma vida rígida em relação a Deus e ao país.

Na impossibilidade de se desobrigarem de tal exagero, fugiam para a astúcia e hipocrisia de conduta, sempre preocupados com o exterior, em detrimento do valor intrínseco dos fatos e coisas.

Os saduceus, por sua vez, constituíam o partido da aristocracia que, para manter os bens e a posição social, favorecia o dominador romano. O sumo sacerdote pertencia a esta casta social, sendo-lhe o culto do templo o dever de maior relevância. Levantavam-se contra as doutrinas da ressurreição e da existência dos anjos, mantendo permanente clima de conservadorismo.

Os zelotes, partido que se opunha ao jugo romano, prosseguiram após as crueldades de Varo e se responsabilizaram pela grande rebelião de 66 d.C., a mais violenta de todas, que culminaria na destruição de Jerusalém no ano 70 d.C., quando Tito, general e depois imperador romano, dominou a cidade e arrasou o templo, não deixando "pedra sobre pedra", que não fosse derrubada.

Outros grupos menores formavam pequenos partidos, entre os quais o dos essênios, que habitavam as margens do Mar Morto e viviam apartados do mundo dos gentios, preservando os seus cultos ancestrais.

Embora as diferenças superficiais dos grupos e partidos, todos os judeus sustentavam o monoteísmo ético e a esperança escatológica.

A crença geral em Deus, na Sua justiça e a esperança da chegada de um Messias que restaurasse a soberania de Israel, criando um reino de paz e de felicidade eram a ambição de todo judeu.

Uns esperavam essa hora com paciência, e outros desejavam apressá-la através das armas...

Veio Jesus, porém, e eles não O compreenderam, não O receberam, não O quiseram...

1
O GRANDE DESAFIO

Jamais igualado, Jesus é o grande desafio para a Humanidade. Nascendo e vivendo em pequenos lugares comuns a todos os lugares, entre pessoas simples e desatentas, que existem em toda parte e em todos os tempos, a Sua é a existência global, divisória dos acontecimentos históricos, que se fizeram assinalar pelo berço de palha, sinal <u>épico</u> das épocas passadas e futuras.

Péricles e Augusto, que deram os seus nomes aos séculos em que nasceram; Fídias, Sócrates e Heródoto, que marcaram o pensamento literário, artístico e histórico profundamente; Júlio César, Carlos Magno, Francisco de Assis e Michelangelo, que alteraram os acontecimentos humanos; Voltaire, Beethoven e Freud, que reformularam os conceitos filosóficos, musicais e psicológicos, ao lado de Edison, Fulton e Einstein, que sugeriram técnicas preciosas e decifraram enigmas, não se Lhe equiparam.

Não obstante a grandeza das suas realizações, vários deles se inspiraram nos Seus ensinos e não lograram sensibilizar outras pessoas na profundidade em que Ele o conseguiu.

A Sua Mensagem inspirou as mais belas páginas da Literatura, da Arte e da Filosofia, arrebanhando o maior número de mártires que jamais se conheceu.

A Sua figura, que impressionava todos aqueles que O fitavam, ultrapassou o período em que viveu, abalou o Império Romano e alterou completamente a história do Ocidente.

Amado ou odiado, Jesus não deixa ninguém indiferente à Sua comunicação ímpar.

Usando linguagem simples e atual em todas as épocas, revoluciona interior e exteriormente os indivíduos que travam contato com o seu conteúdo.

A indiferença não viceja em relação à Sua vida.

Mensageiro incomparável do amor, utilizaram-nO para guerras de interesses inconfessáveis.

Libertador por excelência, foi usado para justificar comportamentos escravocratas e absurdos.

Amigo de todos, tomaram-nO, através das paixões mesquinhas, como divisor de grupos e indivíduos.

Filho de Deus, confundiram-nO, propositalmente, com o Criador, dando margem a conflitos de toda ordem.

Amor ímpar, fizeram-nO símbolo de força terrena, enganosa.

Simples e abnegado em todos os atos, alçaram-nO aos tronos equívocos e aos poderes transitórios.

Imensurável na Sua grandeza, permanece incompreendido na mensagem de que se fez portador.

Para explicá-la, elaboraram teologias complexas e confusas, surgiram exegetas especializados e intérpretes exigentes, quando os *puros de coração* e os *simples de espírito* podiam compreendê-la e vivê-la sem rebuços nem afetação.

Adornam-na de símbolos e rituais, cerimônias luxuosas e sacramentos inócuos, desvestindo-a dos caracteres de amor e espontaneidade que vicejavam nos Seus lábios e conduta.

Criaram uma casta sacerdotal para ensiná-la, quando Ele sempre se levantou para profligar tal comportamento.

Convocam-nO para amaldiçoar e matar, olvidados de que Ele é "vida, e vida abundante"...

São os paradoxos humanos.

☙

Todas as pessoas que O entenderam pelo *coração*, ofereceram-se em holocausto de amor ao Seu Amor.

Marchavam felizes para o martírio, certas da vitória, além do corpo...

...E prossegue arrebatando milhões de indivíduos, apesar das alterações que introduziram no Seu pensamento inatacável.

O Evangelho, esta perene alegria, rico de *Boas-novas*, narrado pelos quatro amigos, inunda de esperança qualquer vida e enriquece de felicidade quem o lê e medita.

Dois milênios depois d'Ele haver morrido e ressuscitado, permanece mais vivo e amado do que qualquer outro vulto da Humanidade.

Jesus rompe com a superficialidade e penetra o âmago dos homens, alterando-lhes totalmente a existência, porque lhes demonstra a sua realidade espiritual e divina, num mundo transitório e portador de planos e oportunidades para experiências evolutivas, libertadoras.

Com algumas frases, compôs o poema de liberdade – as Bem-aventuranças, que são o momento glorioso da Sua palavra e vida.

Perseguido, crucificado, após as infamantes traição e negação dos amigos frágeis, continua convidando-nos a segui-lO e amá-lO, única forma de se alcançar a plenitude.

2

A GRANDE LUZ

A Galileia era o lugar ideal. Região feliz e verde, suas gentes simples confiavam de coração.

Vivendo das gentilezas da terra e da fartura piscosa do seu mar, era rica de ternura e de ingenuidade.

O *processo da cultura vã* ainda não lhe chegara, não lhe pervertera os hábitos, despertando os apetites, as paixões amesquinhantes.

O mar, que é um lago de água doce, medindo doze milhas e meia de comprimento e sete milhas e meia de largura, no seu espaço mais aberto, parece uma turquesa imensa encravada nas montanhas, a refletir o céu.

Suas praias eram salpicadas de povoados e lugares alegres, onde viviam os puros de sentimentos, confiando nas bênçãos de Deus.

Foi essa a região que Ele escolheu para o Seu ministério, conforme acentua Mateus:

— *Depois, começou a percorrer toda a Galileia, ensinando nas sinagogas, proclamando a Boa-nova do Reino, e curando entre o povo todas as doenças e enfermidades.*

A Sua fama estendeu-se por toda a Síria e traziam-Lhe todos os que sofriam de qualquer mal, os que padeciam de dores e de tormentos, os <u>endemoninhados</u>, os lunáticos e os paralíticos, e Ele a todos curava.

Seguiram-nO grandes multidões, vindas da Galileia, da Decápole, de Jerusalém, da Judeia e de além do Jordão.[2]

A dor, que a uns indivíduos <u>asselvaja</u>, a outros dulcifica.

Sempre presente no organismo social de todas as épocas, é parte integrante da vida do homem, fenômeno biológico de desgaste emocional de reajustamento, impositivo de evolução.

Quando o amor se recusa à realização do progresso, a dor <u>propele</u> à sua conquista.

Variando de dimensão na escala das necessidades, ninguém há que a não experimente ou que a desconheça.

Não será de estranhar que as criaturas, diante de qualquer indivíduo que as convoque a uma mudança de comportamento e lhes fale da imperiosa busca de Deus, não apresentem as mazelas e aflições, a fim de se sentirem menos sobrecarregadas, portanto, mais predispostas a ouvirem a mensagem.

O estômago <u>esfaimado</u> dificulta a atenção de outro assunto que não seja o pão e impede o raciocínio.

---

2. Mateus, 4: 23 a 25 (nota da autora espiritual).

A enfermidade, que enfraquece as resistências físicas e morais, não permite o discernimento que esclarece e guia com segurança.

Diante de Jesus, os homens tornavam-se crianças e despiam-se dos atavismos, apresentando-Lhe as fraquezas e rogando-Lhe apoio.

Ele passeava a Sua misericórdia sobre as humanas tristezas e espalhava alegrias... e responsabilidades...

Somente poucos, porém, entendiam-nO, o que é lamentável.

O contato com Ele deveria mudar os rumos das vidas. Nem todos, porém, que O buscavam, após os benefícios recebidos, seguiam-nO.

Desatentos e ansiosos iam além, para retornarem ao Seu inefável amor, nos amanheceres do futuro, em outras reencarnações, saudosos da Sua presença e amargurados por havê-lO deixado.

Deambulam hoje, melancólicos e lutadores, muitos daqueles que O viram e foram socorridos, que estão de volta, falando sobre Ele, e buscando arrancá-lO da memória longínqua para os momentos presentes...

Quem conheceu Jesus, jamais O olvidará e d'Ele não mais se libertará...

Não importa o tempo que passe.

Impregnado pelo Seu amor, retornará à Sua presença como o rio coleante entre as anfractuosidades do terreno, buscando o mar do qual se separou...

※

Não obstante, ingênuos, os galileus pensavam nas questões imediatistas: a faina do dia, o aconchego do lar, o repouso, a devoção religiosa no sábado... Não aspiravam a mais altos e amplos ideais, pois que não os necessitavam.

O pão, o vestuário, a família, a fé – eis as necessidades reais, prementes.

O verbo divino despertava-os para a Vida, a conquista do país interior, o futuro eterno.

Ante a Sua presença alterava-se a paisagem dos sentimentos, e penetrante música dominava-lhes a pauta do coração e a partitura da mente aberta aos sons sublimes.

– *O pão* – refere-se Ele aos ouvintes curiosos, atentos – *desgasta-se e a fome retorna... Mas o alimento da alma, que é o conhecimento da verdade, nutre-a para sempre.*

A verdade, porém, o que é para aquele povo, que não aspira às grandes conquistas e se basta com o que tem e conforme vive?

Indiferente às tricas farisaicas, teme mais aos sacerdotes do que os ama e respeita.

Os puros de coração alienam-se dos dominadores pelo temor, embora estejam próximos pela servidão, que mais os afasta deles...

– *A verdade* – explica o Mensageiro de Deus – *são o conhecimento de si mesmo, a autoafirmação no bem, a transformação pessoal para melhor, com incessante esforço de superação das imperfeições, a busca de vida eterna, a saúde integral...*

Eles entendem, porque isto é lógico. Porém, estão enfermos, trazem os seus doentes, a fim de constatarem a legitimidade do Embaixador.

As Suas credenciais devem ser apresentadas, a fim de que seja aceito na condição em que se faz conhecer.

Jesus, então, cura as enfermidades, fortalece as debilidades orgânicas, restaura o otimismo, compartilha do festival das dores humanas, levando todos a estados majestosos, altissonantes, de ventura.

A variedade de injunções dolorosas é surpreendente.

O homem, herdeiro dos seus feitos passados, apresenta-se com a ceifa refletida na aparência e na conduta.

O Mestre o sabe e seleciona aqueles que devem ser reabilitados, enquanto outros necessitam seguir em mais demorada recuperação.

Na azáfama dos labores de reequilíbrio das massas, aparecem os lunáticos, que a esquizofrenia ensandece, e os endemoninhados, que a obsessão subjuga.

O desconcerto mental de ambos é, aparentemente, igual; todavia, a gênese e a manifestação do desequilíbrio são diferentes.

No primeiro caso, o próprio Espírito arruinou os equipamentos mentais. No seguinte, a interferência de outra mente desestruturou a linha da razão e do comportamento.

A consciência culpada, que fugiu à Justiça, insculpe em si mesma os tormentos de que precisa para o ressarcimento da dívida.

A consciência em débito cede o seu campo ao cobrador inclemente que lhe cerceia a área do raciocínio.

Jesus conhece os autoflagelados e identifica os perseguidos.

A estes e àqueles, porém, desembaraça do cipoal da perturbação, pedindo-lhes que se reabilitem e não voltem a comprometer-se. É imperioso que seja seguida a recomendação, a fim de que não venham a tropeçar em problemas maiores, emaranhando-se em dificuldades mais graves e danosas.

E aos inclementes perseguidores concede também a liberação, facultando que sejam afastados e cresçam no amor, no perdão, evoluindo no rumo do próprio e do bem geral.

As multidões chegam de toda parte, para ouvi-lO e beneficiar-se.

A Grande Luz está no mundo, e durante aqueles dias não haverá escuridão.

Sua claridade impregna os homens, as paisagens onde brilha e fulgirá através dos tempos, no rumo do futuro e da Humanidade de amanhã.

Buscaram-na ontem as multidões aflitas, e disputam-na hoje as culturas e civilizações enlouquecidas, seguindo o atavismo dos benefícios externos, sem a real preocupação de colocá-la no mundo íntimo, a fim de que nunca mais haja trevas.

Por um pouco mais, ainda será assim.

Quando realmente estiver cansado, o homem abrir--Lhe-á a vida e Jesus o tomará em definitivo, auxiliando-o na liberação total. Já então não haverá problemas nem sofrimentos, somente júbilos e paz.

3

A MAGNA CARTA

O verbo lúcido e poderoso de Jesus acabara de compor a Carta Magna da Humanidade, ao enunciar o Sermão do Monte no Poema das Bem-aventuranças.

Jamais se ouvira um código das leis mais precioso e oportuno. Nunca mais se voltaria a escutar algo que se lhe equiparasse em beleza, profundidade e equilíbrio.

A música do verbo divino permanecia na acústica das almas que haviam participado da assembleia excepcional.

Tudo acontecera de surpresa, em razão da massa que afluíra àqueles sítios fronteiriços ao mar.

Podia-se, porém, sentir que o poema estava escrito nas páginas serenas da Natureza, e o Cantor aguardava apenas o momento de o entoar aos ouvidos humanos, que o registrariam na memória de todos os futuros.

A maioria dos assistentes, porém, enganada pelo mundo, esperava um legislador para Israel, que <u>esgrimisse</u> as armas da <u>belicosidade</u> e da dominação, exaltando as ambições da raça e protagonizando a materialização do comandante-chefe para o desencadear da revolução sanguinária...

O país esperava e queria um condutor apaixonado, capaz de estimular o ódio e fazer que se empunhassem os instrumentos da destruição, semeando a morte e erguendo, sobre os cadáveres amontoados e as cidades em ruína, o trono e a glória do poder temporal.

Os dias difíceis do novo cativeiro que o Império Romano ora impunha, deveriam ceder lugar às honras da liberdade política para o "povo eleito", que pretendia a outros povos subjugar, impondo-se de forma arbitrária e criminosa.

Anelava-se, à época, por um conquistador que se utilizasse da antiga Lei para espezinhar os adversários e projetar "os escolhidos" no rumo das estrelas e das glorificações transitórias.

Aquela, porém, era uma carta de alforria lavrada em decretos de amor e de paz.

A suavidade dos seus artigos e parágrafos confundia-se com a energia e grandeza do conteúdo.

Ninguém jamais se atrevera a legislar com benignidade e doçura, louvando os sofredores, os deserdados, os pobres, os oprimidos, os esfaimados...

Estes herdariam a Terra, o Céu, a plenitude, se se vencessem a si mesmos.

Os conquistados comuns incitavam às vitórias sobre os outros, à destruição dos demais, à luta exterior.

Este, no entanto, conclamava à supremacia do homem bom sobre o belicoso e do dominador de si mesmo em relação aos seus inimigos íntimos.

Para Ele, os adversários reais e mais perigosos viviam no imo de cada criatura e se fazia indispensável conquistá-los, transformando-os – as más tendências que eram – em servidores do bem.

Sem dúvida, a mensagem era revolucionária, de uma forma especial, então desconhecida.

Por tais razões, aquela significava o divisor de águas, separando as épocas do processo histórico para as criaturas.

Os que ouviram as regras do bem viver, alterando o conteúdo do pensamento então vigente, saíram da montanha na condição de testemunhas do mundo novo, guardando sentimentos variados.

Havia decepção nos orgulhosos e desencanto nos ricos de paixões mesquinhas.

Predominava a revolta nas mentes que pretendiam dominar os outros, e, sem coragem de arrebanhar adeptos, para não correrem riscos, esperavam um líder que assumisse responsabilidades.

Em razão de Jesus representar o ideal dos sofredores e atrair as multidões, seria o condutor ideal para a guerra, a fim de tornar reais as profecias aguardadas, por cujo cumprimento se ansiava com carinho e quase desesperação.

Sem embargo, Ele se apresentava pacífico e pacificador.

Mais ovelha do que lobo devorador.

A Sua transparência moral desvelava-Lhe a alma pura.

O Seu discurso propunha que o cordeiro e o leão bebessem na mesma fonte e se ajudassem; que a pomba e a águia voassem juntas, confraternizando à luz do dia;

que os cardos se abrissem em flor e nenhuma sombra de suspeita ou malquerença empanasse a claridade do afeto entre os homens.

Na Sua voz, felizes são os que sofrem com resignação, submissos às Leis da Vida, e não aqueles que se locupletam na miséria geral.

Exigir-se muito e desculpar as imperfeições noutrem constituíam fundamento novo para construir a paz pessoal e, depois, a geral.

Para Ele o pior escravo é aquele que se enclausura nas paixões, nos vícios de que depende em cárcere escuro. O homem que pensa, ama e sonha livremente nunca sofre escravidão, mesmo quando as injunções políticas e guerreiras lhe cerceiam os movimentos e lhe diminuem os direitos...

Outros, porém, os sofredores e tímidos, os padecentes e amargurados, tiveram lenidas todas as suas dores e agora se deixavam penetrar pelo sentido extraordinário de cada um dos enunciados da surpreendente legislação. Ela constituía uma surpresa e se baseava na total inversão dos valores vigentes e aceitos.

Abriam-se as sombras da ignorância e brilhavam as claridades do conhecimento, demonstrando a ancianidade do ser espiritual, reemboscado no corpo, a fim de reparar os erros, recuperar os valores malbaratados, crescer no rumo do bem.

Os pensamentos exarados projetavam luz nas incógnitas do comportamento humano, abençoando o sofrimento e lamentando os fomentadores da miséria, do infortúnio, do desespero...

A fome de verdade, a sede de justiça, a carência de amor, a necessidade de paz sempre foram marcas do processo de evolução, presentes no cerne da alma dos homens através dos tempos.

Ali, na paisagem ridente de Cafarnaum, do alto do monte fronteiro ao mar azul, refletindo a majestade do zimbório transparente, iniciava-se a *Era* da verdadeira libertação, que assinalaria a História, abrindo-lhe espaço para todas as épocas do futuro.

O Líder era poeta...

Seu verso era musical e sua palavra modulava a canção da Vida eterna.

As anteriores haviam sido vozes extremadas pela ambição guerreira e argentária. Fomentando as conquistas das coisas e dos espaços, de terras e ruínas calcinadas, alienavam os vitoriosos que tombavam, mais tarde, vitimados pela morte, na loucura do poder, sobre os vencidos silenciosos.

Com Ele não havia morte, sempre vida em triunfo.

A Sua era a batalha sem trégua para a conquista da glória sem fim.

Não padecem os homens somente a fome de verdade, mas, também, a de pão e de dignidade; não apenas a sede de justiça, porém, igualmente, a de água potável, a de fraternidade e a de apoio; não tanto a carência de amor, todavia, a de amizade e a de compreensão; não só a necessidade de paz política lavrada com audácia nos gabinetes de luxo, por criaturas atormentadas que firmam acordos externos sob restrições e conflitos íntimos, no entanto, além disso, aquela que se irradia dos sentimentos elevados, fruto de uma consciência tranquila, que resulta de um comportamento ordeiro e digno.

...Estes são os herdeiros da *terra do coração*, no *país da sua imortalidade*.

Todos disputavam a permanência no corpo frágil e putrescível; Ele, porém, vinha propor a libertação plena, que começa na harmonia do pensamento com o coração pacificado, e, não obstante, quaisquer circunstâncias juguladoras que surgissem por fora, haveria plenitude interior.

Impressa nas páginas sublimes do tempo *passado--presente-futuro*, a Constituição ideal permanece como legítimo código de liberdade, de direitos, de deveres e de paz sob a inspiração permanente do amor, que é a linha mestra desta carta de alforria para a Humanidade.

Ela bastaria para nortear cada homem e todos os homens; cada povo e todos os povos.

A sua simplicidade, na síntese perfeita do seu conteúdo, abordando os elementos essenciais para a vida, constitui o máximo para o respeito à criatura, ao que lhe compete realizar e receber.

Legislação de amor e de justiça, é o código de honra baseado nas leis naturais da Criação.

A pessoa humana aí se engrandece e exalta, assumindo a real posição de filha de Deus.

As Bem-aventuranças ainda permanecem desafiadoras, aguardando ser meditadas, para que, vividas, conduzam da Terra o homem, lutador e sofrido, na direção excelsa do Reino dos Céus, que, no entanto, já tem início hoje, aqui e agora, no mundo transitório por onde se deambula.

4
GLÓRIA DA VIDA

Aquele se tornou um dia especial, assinalando um novo conceito de vida.
Vida em renovação, vida de paz.

A família de Betânia, que se fizera amada na pequena comunidade, hospedava Jesus nas diversas vezes em que Ele descia a Jerusalém, ou quando dali retornava.

Constituía um remanso onde o amor se faz presente e a ternura se demora.

A casa dos irmãos gentis tornara-se ponto de referência obrigatória nos comentários da população, em face da preferência do Nobre Galileu que ali ensinava as lições libertadoras do Reino dos Céus.

Tratava-se da notoriedade que envolvia o Mestre, em razão da Sua fascinante personalidade.

Além disso, a própria conduta da família feliz caracterizava-se pela elevação de propósitos e pelo fiel cumprimento das tradições mosaicas.

Muito natural, portanto, que o insólito acontecimento chamasse a atenção e se tornasse uma baliza divisória dos períodos que o antecederam e o sucederiam.

Com Jesus, o tempo perdia o significado habitual para adquirir outra dimensão, num ontem obscuro e num amanhã de claridades.

Lázaro, que era portador de uma dermatose de grave curso, houvera *morrido* e fora inumado na tumba da família, cavada na rocha viva a poucos metros do lar onde residia.

As irmãs desoladas mandaram informar ao Amigo, que se encontrava distante, e, em face disso, quando Ele chegou já se haviam passado quatro dias desde a infausta ocorrência.

A catalepsia vitimara Lázaro, que dormia, quase morto, conforme se encontrava.

O Mestre, apesar de haver-se comovido com a dor que se abatera sobre o grupo familiar querido, dirigiu-se ao túmulo com as pessoas que foram atraídas e, chamando o *morto* com voz enérgica, este se desembaraçou das mortalhas e adereços fúnebres, saindo à luz, ressurrecto e triunfante.

As farpas da inveja cravam-se nas almas dos que vieram de Jerusalém e viram o acontecimento.

Os homens pigmeus sempre odiaram os grandes homens, os heróis, os sábios, os santos...

A pequenez moral urde ciladas, e o despeito gera conflitos, estabelecendo tricas e mesquinharias com que pretendem embaraçar os pés dos que avançam no rumo do porvir.

Jerusalém estava a menos de três milhas de Betânia, no entanto, havia uma imensurável distância moral e espiritual entre aqueles que habitavam as duas cidades.

Os homens ganham as distâncias físicas e opõem barreiras que impedem a aproximação nas distâncias morais.

Há, desse modo, homens-obstáculos e homens-pontes.

Jesus é o Homem-ponte entre os homens e entre estes e Deus.

Cessado o júbilo, que irrompeu espontâneo, em todos, superado o impacto, surgiram os comentários menos felizes.

Alguns daqueles que haviam testemunhado o fato, correram, bajuladores, a narrá-lo aos sacerdotes, permitindo que se reunisse o conselho dos fariseus e se programasse a morte de Jesus e Lázaro.

Quando não se pode competir e se é inferior, estabelece-se ao outro matar.

A vingança dos infelizes tem-lhes a própria, a dimensão deles mesmos.

Amesquinhados pela pequenez, perseguem, perseguidos que vivem pela insânia na qual estagiam.

A *hora*, porém, do Justo ainda não chegara...

A *alma humana*, sempre inquieta, arranja mecanismos de evasão, mesmo inconscientes, para deixar a realidade e permanecer na ignorância gerada pela ilusão.

Assim, é comum que, na impossibilidade de compreender os sucessos que defronta, e não desejando aprofundar-se nos seus delicados mecanismos, prefere negá-los, ou busca justificações levianas, graças às quais

os confunde com os mitos em que se apoia ou as superstições que incorpora do dia a dia, para evitar responsabilidades.
Foi o que aconteceu.
A maledicência popular, aliciada pela competição inescrupulosa dos sacerdotes ociosos, passou a considerar que a *ressurreição* de Lázaro fora lograda por interferência demoníaca, já que estava escrito na *Torá* que os "mortos não podiam voltar à vida".
A insistente invectiva aleivosa cresceu de tal forma, a princípio disfarçada, para, logo depois, agressiva e pública, que chegou ampliada ao conhecimento dos três irmãos, que ficaram assustados, sem saber como interromper o curso da maldade.
Naquela noite, logo após a refeição, um grupo de representantes da sociedade local veio a Jesus, com jactância e prosápia, interrogá-lO a respeito do fenômeno, e, ao mesmo tempo, não escondendo a intenção de devolver o liberado ao *reino das sombras*.
O Rabi recebeu-os com a jovialidade habitual, no caramanchão de rosas, na parte posterior da residência, sob um céu ornado de estrelas cintilantes, embora as lâmpadas de barro vermelho, onde crepitavam labaredas bruxuleantes, que ardiam em pavios embebidos em óleo...
Ventos, suavemente perfumados, varriam a noite silenciosa, que parecia aguardar o seu grande momento de esplendor.
Os visitantes, visivelmente inquietos, nervosos, após recepcionados amavelmente pelos familiares, dirigiram-se ao Mestre, inquirindo-O com aspereza.

A violência é <u>arrogante</u> porque teme e sabe-se <u>iníqua</u>, enquanto a calma resulta da segurança do dever e da <u>probidade</u> das próprias ações.

– *Conforme não ignorais* – indagaram –, *é proibido trazer da sepultura aqueles que jazem amortalhados, aguardando o Juízo Final. Esta ação, que alguns hoje testemunharam e que executastes, somente seria possível pela ação de* <u>Belzebu</u>*. Que dizeis?*

O Senhor olhou a estultícia caprichosa dos interlocutores e respondeu com brandura:

– *Se Lázaro houvesse morrido, ninguém o traria de volta... Ocorre que Lázaro se encontrava dormindo, e eu somente o despertei, chamando-o para fora... Todavia, eu o fiz porque meu Pai está comigo, e não Belzebu, desde que o mal não faz o bem, nem a perversidade opera em favor da alegria... Além disso, é muito fácil acusar quando se desconhece, mas é bem difícil dizer-se a um* <u>cataléptico</u> *que desperte e ande e conseguir-se o êxito.*

A voz timbrava com a tranquilidade do autoconhecimento, do poder pessoal.

Os aturdidos acusadores, sem retrocederem nos propósitos inferiores, voltaram a indagar, com acrimônia:

– *Se não estava morto, por que Lázaro exalava o odor da podridão?*

Paciente e compassivo, o Senhor fitou-os com o olhar transparente e elucidou:

– *As feridas cobertas por ataduras não removidas degeneraram as carnes sem irrigação e não seria de surpreender que a exalação pútrida fosse registrada por quantos se adentraram na cova tumular.*

Fez uma pausa natural, e, antes que os invigilantes <u>presunçosos</u> voltassem à carga, o Mestre prosseguiu:

— *A morte mais grave, aquela que produz desgraça, arruinando o homem, é a que a ignorância propicia. Filha do egoísmo, ela corrompe a alma, enlouquecendo o ser e o deixando em trevas. A minha mensagem é de vida eterna, que penetra as densas sombras do desconhecimento e desalgema as suas vítimas, trazendo-as à luz da verdade e do bem.*

Há, também, a morte que resulta do cultivo das paixões dissolventes, das vinculações com a impiedade, em cujos elos a inveja e o <u>ressentimento</u> armam ciladas para aprisionar os que lhes tombam nas <u>urdiduras</u>.

Eu, porém, sou o libertador, e quem se acerca de mim não permanece encarcerado, nem retido nas <u>masmorras</u> e elos da infelicidade.

...E mesmo quando lhe ocorre a morte do corpo, se o extinto crê em mim, este viverá, porque eu sou a ressurreição e a vida...

O importante é que Lázaro permanece vivo, e o poder que me foi delegado por meu Pai, para mantê-lo no corpo, igualmente consegue interromper o curso carnal de qualquer um de vós, que se anteponha em meu caminho dificultando--me a ação e eu me veja constrangido a afastá-lo...

Ante a eloquente severidade da advertência, os *justiceiros* ameaçadores abaixaram as cabeças, e, acabrunhados, receosos, pediram <u>licença</u> e se retiraram...

※

A ressurreição e a vida são os pontos altos da convivência com Jesus.

Com Ele, a noite aureola-se de estrelas e luar, enquanto que sem Ele o dia emurchece e cobre-se das sombras que jazem no íntimo de quem anda em agonia rebelde.

No dia imediato, Jesus se afastou com os Seus para as terras de Efraim, por lá se conservando por algum tempo, até quando se fizesse necessário voltar para não mais sair...

Betânia é um símbolo, e o que sucedeu ali, naquele dia, cindiu a grande noite moral dos homens, como se fosse um punhal de luz, marcando a história do futuro com a esperança da ressurreição perene e da Vida eterna.

5
PRENÚNCIOS DA ERA NOVA

Homens simples, desacostumados aos <u>louros</u> da popularidade, subitamente se viram situados em posição de destaque, tornando-se motivo de comentários <u>acirrados</u>.

Jamais se haviam afastado daquela região <u>bucólica</u>, com raras exceções. Acostumaram-se à faina exaustiva das tarefas cotidianas, sem acalentar qualquer ambição, além daquela renda modesta para a convivência familiar, a comunhão com os amigos modestos e <u>desataviados</u>, quanto eles mesmos, que não se atreviam sequer a examinar as complexidades da vida, nas minudências dos seus comentários sem <u>florilégios</u>...

Tudo acontecera, porém, tão repentinamente, que não tiveram tempo de despertar para o retorno à realidade anterior.

Em alguns momentos, acreditavam-se alucinados, vítimas de estranho <u>sortilégio</u> que os fazia delirar.

Por tradição, conheciam os *escritos sagrados*, cujo conteúdo, rico de sutilezas, passava-lhes despercebido.

Acreditavam em Deus e na Sua Justiça, sem outras <u>excogitações</u> de qualquer ordem.

Bastavam-se a si mesmos no campo da fé ingênua, longe das tricas e interpretações do agrado farisaico e sacerdotal.

Suas aspirações máximas não excediam os limites do que já possuíam, habituados às necessidades supridas pelas conquistas do esforço pessoal.

Seguiam a Lei antiga, mais por tradição do que por consciência, deixando-se arrastar pela esperança da felicidade ao lado de Jehová.

Ele, o Estranho, chegara, discreto, e dominara-os.

Convidara-os, um a um, para o não esperado ministério, fascinando-os, depois, com a tônica de um amor dantes nunca experimentado.

Dizia-se o Messias, e eles temiam.

Todos desejavam, é certo, o Esperado, no entanto, pensava-se que Ele seria poderoso e <u>prepotente</u>, dominador e <u>arbitrário</u>, enquanto este se fazia meigo, na doçura de que dava mostras em todas as atitudes.

Poderoso, era, porém, manso, portador de uma bondade que impregnava de forma inapagável.

Todos O viam e não podiam crer no que Ele fazia, alterando todos os critérios até então conhecidos e utilizados.

Nenhum profeta fora mais frágil e mais forte do que Ele o era.

Frágil, a ponto de comover-se ante a paisagem pura ou diante de uma criança em sofrimento que Ele socorria com os olhos nublados de pranto. E forte, porque não temia os poderosos da Terra, que O não alcançavam na Sua grandeza, enfrentando os hábeis tecelões da intriga e da hipocrisia com dignidade e sem qualquer temor.

A Sua força mudara as estruturas da conduta humana...

Cegos, ante o Seu toque, recuperavam a visão, o mesmo ocorrendo com os surdos, que voltavam a ouvir, com os enfermos, que recobravam a saúde... Mesmo os Espíritos inferiores respeitavam-nO e fugiam, quando Ele chegava, bradando em altas vozes o que lhes ia no imo atormentado.

Não se jactava, porém, de qualquer feito, muitas vezes impondo aos Seus beneficiários que a "ninguém contasse nada" a respeito da ocorrência surpreendente.

Amavam-nO, portanto, mas não se sentiam preparados para aquela Era Nova a que Ele se reportava com frequência.

Foi, portanto, sob estes sentimentos contraditórios que, num momento que lhes pareceu azado, buscaram o Mestre e, através de João, por quem Ele nutria especial carinho, graças à sua juventude imaculada, apresentaram-Lhe os receios e, por que não dizer, também as suas ansiedades.

Ouvindo, benevolente, o discípulo amado, porta-voz das inquietações gerais, o Senhor expôs:
– *A Era Nova encontra-se no limiar. Cumpre-se projetá-la nas mentes e nos corações, abrindo espaços para os que virão no futuro.*

Será caracterizada pelo amor de plenitude e pela compaixão total a benefício dos seus opositores.

Terá início no país de cada coração, espraiando-se em derredor como um aroma sutil e penetrante que jamais será olvidado.

Levantar-se-ão contra, os dominadores das consciências humanas, que as exploram, porque a liberdade romperá todas as algemas da escravidão às paixões mais vis. Os que se comprazem em manipular as vidas a benefício pessoal, volver-se-ão, arbitrários, para impedir-lhe o crescimento, a dilatação de fronteiras.

Em razão disso, cabe-nos instaurar o primado do bem, sempre gentis e fraternos, vivendo mais a lição que a preconizando para os outros.

Ovelhas mansas, que somos, deveremos conquistar os lobos ferozes, ao invés de os temer, e arrastá-los para o mesmo rebanho.

Reuniremos, sob o mesmo cajado de amor, os homens enganadores e suas vítimas, os vingadores e seus prejudicados, concitando-os à mesma marcha pela paz.

Demonstrando a sobrevivência da vida ao fenômeno da morte, batalharemos para que a existência corporal seja considerada apenas como um ensejo para a aquisição de valores para utilização na vida verdadeira...

Esse esforço dependerá mais dos que amam, dos que têm puro o coração e são pobres das ambições pelas coisas nenhumas, *vanglórias* por quase todos disputadas como herança da loucura.

Vós sois convidados para este *mister*.

Por agora, vedes e entendeis o que pode realizar o Pai, através do Filho, poder este que vos é transferido e por vós conquistado, se porfiardes até o fim.

Posteriormente, quando sairdes a edificar os alicerces da Era Nova, e fordes perseguidos, odiados e até assassinados, por amardes, a Humanidade já estará vivendo os primeiros passos do novo período.

Não temais! Crede, por enquanto, abrindo-vos ao amor e deixando-vos arrastar pelas correntezas da esperança.

Ninguém vos molestará, mesmo porque sabeis donde viestes e para onde ides, enquanto os *algozes* o ignoram.

Estais sob uma governança superior que dirige os iludidos nos comandos humanos.

Vede as nuvens que passam e se modificam, mudando de rumo conforme as correntes de ar. Não se lhes pode prever com muita antecipação o rumo que tomarão.

Sois conduzidos pelas correntezas do divino amor, levados a destino *adredemente* estabelecido.

Tende coragem!

Nunca vos deixarei, nem mesmo após o fim dos *evos* terrenos, quando estaremos no Reino da perene felicidade.

※

Um silêncio de paz caiu sobre os ouvintes atentos e, a partir de então, agigantaram-se, saindo a colocar os marcos fronteiriços do *Reino de Deus*, de fácil identificação para os que "têm olhos de ver" e "ouvidos de ouvir".

Partiram daquele limiar para a felicidade que se estabelece, embora, aparentemente, nestes dias, o caos e a desesperação se manifestem dominadores. Todavia, assim ocorre, porque já não há tempo para as indecisões, por isso os comprometidos com Jesus não se detêm, seguindo adiante e implantando as diretrizes da Era de paz e de amor, pela qual todos, afinal, anelam e buscam, na tentativa feliz de libertarem-se do sofrimento.

6

HERDEIROS DA TERRA

Contrastando com a harmonia da Natureza esplendente de cor e <u>onomatopeias</u> ritmadas, naquele dia, as inquietações humanas perturbavam a alma simples e generosa de Simão.

O maduro companheiro de Jesus sempre <u>exultava</u> diante das ocorrências felizes que presenciava: cegos recuperando a visão; paralíticos voltando aos movimentos rápidos; surdos em exclamações de felicidade após recomporem a acústica auditiva; enfermos outros em transe de saúde momentânea e a gratidão estampada na face dos beneficiários do <u>inexcedível</u> amor que lhes dispensara as bênçãos.

Não poucas vezes, observava, igualmente, o Amigo envolto em sublimes claridades que O <u>aureolavam</u>, produzindo uma visão inesquecível. Noutras oportunidades, percebera-O preocupado, em estranhos mutismos como a pressentir as tragédias inevitáveis que se acercavam...

Todavia, eram os Seus sermões que o atemorizavam.

É verdade que Ele falava com invulgar autoridade, conseguindo submeter quantos Lhe escutavam as assertivas, como se uma força transcendente magnetizasse as multidões, silenciando-as, consolando-as, erguendo-as com dignidade, como dantes jamais alguém conseguira feito equivalente.

A urdidura maléfica produzida pela inveja e despeito dos fariseus, dos saduceus e publicanos – as castas poderosas e dominadoras – já se alastrava, gerando descontentamentos, que Ele ignorava com sobranceria.

Um exame acurado dos Seus ensinamentos proporcionaria recursos para voltá-lO contra Israel ou Roma, que O espiavam pelos olhos cobiçosos de traidores bem remunerados...

Os Seus amigos eram a pobreza, o sofrimento, representados pelos oprimidos e desditosos impossibilitados de O ajudarem num momento grave.

Foi, portanto, sacudido por tais reflexões pessimistas, que o pescador galileu se acercou do Mestre, na praia, nas circunvizinhanças de Cafarnaum e apresentou-Lhe as preocupações tormentosas.

Arrolou algumas diretrizes basilares da Boa-nova e solicitou esclarecimentos, entre tímido e emocionado.

O Senhor ouviu-o com a habitual gentileza, na qual transpareciam a compreensão e a sabedoria.

Após as considerações preliminares, o discípulo, receoso, indagou:

– *A Lei manda que se preserve a capa, mesmo a daquele que está caído em desgraça, porquanto esta lhe pode servir, na emergência da miséria, como agasalho, na friagem da noite, e, no entanto, propões que lha dês também a quem a pedir a túnica*. Como conciliar esta atitude com o Estatuto de Israel?

O Mestre olhou em derredor e, abarcando a paisagem luminosa do dia em festa, respondeu:

— *Vê a tua volta, Simão. O Sol, que <u>oscula</u> o monte, beija o vale, dando vida a toda a paisagem sem distinção de área a visitar... Tomar capa de quem nada possui é uma arbitrariedade; todavia, dá-la, por amor, a fim de auxiliar a quem lhe pede túnica, é conquista superior de solidariedade.*

— *E a face, Mestre?* — <u>redarguiu</u> o amigo, interessado.

— *Disseste que se deve oferecer o outro lado quando <u>esbordoado</u>... As condições legais <u>estatuem</u> que bater na face de um homem é uma ofensa imperdoável. E tu violas o regulamento, propondo a doação do lado oposto para a mesma agressão?*

— *Não venho <u>derrogar</u>* — <u>ripostou</u> o Ouvinte — *nenhum item da legislação a que nos submetemos; entretanto, revidar o golpe é gerar complexidades do ódio. Quem é vítima conquista a paz, mas o agressor perde a dignidade e se apresenta sempre como enfermo que ignora a doença que o consome. Reagir contra o fraco que agride transforma-se num duelo de desequilibrados. A Boa-nova é mensagem de edificação, jamais de rebaixamento e <u>vileza</u>.*

— *Ainda assim* — <u>aduziu</u>, interrogando, o companheiro —, *mandas amar o inimigo, ajudar o próximo, embora este pertença a outra regra. Não será perigoso sustentar o adversário, quando ele merece punição?*

— *De certo modo tens razão* — <u>anuiu</u> o Interlocutor Divino —, *porque o inimigo, o adversário do homem, não é o outro homem, mas ele mesmo, são as suas paixões e <u>mesquinhezas</u>, seu egoísmo, seu amor-próprio; e esses cruéis <u>verdugos</u> devem ser frenados, corrigidos, e não aquelas imperfeições que* *impelem o outro, o próximo, a assumir atitudes hostis. Israel, no cativeiro no Egito e na Babilônia, deveria ter aprendido quanto é dolorosa a situação de alguém em terra estrangeira... Inobstante, trata com benevolência aqueles alienígenas que aceitam a sua Lei, perseguindo os que não lhe compartem os ideais e tachando estes de gentios, olvidando-se que Deus é o Pai de todos os homens, destes fazendo, em consequência, irmãos da mesma família universal...*

— *Sim, sim, concordo* — aquiesceu Pedro. — *Apesar disso, revelas que somente os que* porfiarem *até o fim herdarão a* Terra, *exaltando os pobres e oprimidos. Não será esta afirmação um risco?*

— *Simão* — elucidou o Benfeitor Amoroso —, *o próprio Moisés, que teve a incumbência de conduzir o povo à* terra da promissão, *nela não se adentrou... Isto, porque a morte a todos arrebata, não ficando pessoa alguma proprietária de qualquer bem. Os que porfiarem até o fim, no ideal do amor, herdarão a terra da felicidade, no país dos sentimentos nobres. Os oprimidos se libertarão das mãos escravagistas; os pobres se enriquecerão de bênçãos; os infelizes se rejubilarão; os* combalidos *se apresentarão fortalecidos, caso perseverem no* amor a Deus sobre todas as coisas e ao próximo como a si mesmos, *porque não há situação penosa ou feliz, gratificante ou* inditosa *que, no mundo, não passe.*

A morte é a grande libertadora que altera a face das coisas, e, viajando nas asas do tempo, a todos os seres alcança, conduzindo-os à consciência pessoal livre, que os situará no plano a que fazem jus, *na Casa de meu Pai.*

O discípulo ainda desejou argumentar, no entanto, Jesus, acompanhando a marcha da luz do dia, apontou as boninas escarlates que coloriam a grama verde, ao lado dos junquilhos alvinitentes, e encerrou a entrevista dizendo:

— *Nossas vidas estão nas mãos do Pai, que cuida das flores miúdas, das aves dos céus, dos bosques e dos animais, cumprindo-nos o dever de fazer a nossa parte, que é o bem sem cessar, amando sempre e ensinando a verdade sem receio, nunca temendo aqueles que podem, cruéis, matar os corpos, não fugindo, por sua vez, à lei da própria <u>consumpção</u> carnal...*

Assim, trabalhemos e implantemos o Reino de Deus *em nós, ajudando e confiando até o fim, para herdarmos a terra da fraternidade pura, inaugurando, desde agora, a Era da verdade nas mentes e corações humanos com os olhos postos no futuro.*

Silenciando, por momentos, enquanto o discípulo se <u>ensimesmava</u> em reflexões, convidou-o, por fim:

— *Saiamos daqui. É necessário trabalhar. O tempo <u>urge</u>. Sigamos. A multidão espera por nós na terra das necessidades.*

7

NA TRANSJORDÂNIA – A LIBERDADE

Árida e calcinada, aquela é a terra sofrida pelos golpes do ar quente e pela <u>inclemência</u> do Sol.

A Transjordânia é constituída por planaltos que se alongam de um e do outro lado da imensa Depressão do Ghor, por onde corre, <u>lânguido</u> e abençoado, o Rio Jordão, que se distende, rasgando o calcário, até a imensa fossa do Mar Morto, a quase 400 metros de profundidade em relação ao nível do Mediterrâneo...

Esses planaltos ressequidos são formados por elevações vulcânicas, onde se espalham desertos e <u>estepes</u> que lhes ocupam quatro quintos da área territorial.

Apenas na região por onde corre o Jordão é que o clima se faz mais <u>ameno</u>, com um calor úmido e favorável a alguma agricultura, como a de cereais, de bananas, de frutas cítricas...

A jornada por ali se anunciava difícil.

O Mestre atingira o <u>clímax</u> do ministério na Galileia e programara seguir a Jerusalém. Todavia, alterando o percurso, sem atravessar a Samaria, desejou seguir por outros caminhos.

O outro lado, a parte oriental, atraía-O. Ele desejava <u>ensementar</u> a palavra de luz no solo dos corações que a desconheciam. Optou, portanto, por subir a Jerusalém, vencendo as paisagens ressequidas e ingratas da Transjordânia.

Era necessário fecundar o *solo difícil* com o *adubo* do sacrifício e encorajar os depositários dos divinos bens, acomodados na <u>indolência</u> e indiferentes, com a esperança e a motivação para o cultivo do amor.

A indiferença é <u>bafio</u> mortífero.

Às vezes, pior do que o ódio – o amor que enlouquece, explodindo em ira –, ela é a manifestação <u>mórbida</u> do amor que está morrendo...

A marcha prenunciava ser longa e cansativa, ao mesmo tempo arriscada, em razão do farisaísmo dominante e astucioso, que se <u>locupletava</u> na ignorância do povo, a ele submetido em infeliz servidão.

À medida que avançava, a Sua sabedoria ensinava, abrindo espaços nas mentes fechadas e convidando-as à reflexão, à liberdade...

Em cada lugar, em cada trecho do caminho, Sua presença e voz dissipavam as dúvidas, <u>dirimiam</u> os conflitos.

Depois do Seu passo, porém, ficaram impressas nas almas as setas luminosas, apontando os rumos de segurança para os homens alcançarem os abrigos da paz.

Na sinfonia dos acontecimentos, porque também se estivesse dedicando com extremados zelo e abnegação, Pedro indagou-Lhe, na primeira oportunidade:

– ...*E nós que deixamos tudo e Te seguimos?*[3]

Havia sede de ternura e de recompensa.

Quando ainda não se sabe amar verdadeiramente, sempre se aguarda retribuição.

– *O amor, porém, se basta a si mesmo.*

Preenche o coração de quem o doa e vitaliza o daquele a quem é oferecido.

Autossuficiente, enriquece e justifica-se.

Não vem de fora, nem se manifesta com ruído e excentricidades.

Surge, espontâneo, de dentro de cada ser e exterioriza-se como um perfume suave, que termina por impregnar.

O amor é pleno, e o seu fruto, o seu resultado, é sempre amor, pois que, procedente de Deus, a Ele retorna.

Na primeira fase da sua expressão, quando ainda frágil, o amor pede resposta, espera compensação.

Ao fortalecer-se, renuncia aos interesses menores e prossegue amando.

Jesus recordou-se de quando propusera aos Seus seguidores a opção entre os familiares e Ele, os bens transitórios e os eternos.

A interrogação do amigo, que falava pelos demais, levou-o a retorquir:

– *Em verdade vos digo: quem tiver deixado a casa, irmãos, mãe, pai, os filhos ou campos por minha causa e por causa da Boa-nova, receberá cem vezes mais agora, no tempo*

---

3. Mateus, 19: 27 a 30 (nota da autora espiritual).

presente, em casas, irmãos, irmãs, mães, filhos e campos, juntamente com perseguições, e, no tempo futuro, a vida eterna. Muitos dos primeiros serão últimos, e os últimos, primeiros.

A resposta, contendo toda uma promessa de ventura, não omitia as lutas, nem os testemunhos.

A opção por Cristo é uma decisão de largo tempo sem o entusiasmo da primeira hora, que passa e leva à desistência, nem a reflexão muito demorada, que perde a oportunidade.

Há um momento de escolha, de decisão.

Tomada a resolução, é indispensável abraçar a cruz, não olhar para trás e seguir.

Toda opção conduz ao contributo de esforços.

Mesmo as estradas aplainadas, apenas são vencidas pelos candidatos que se movimentam, buscando vencer as distâncias.

As decisões morais superiores, não raro, atraem flagelos para o corpo, a emoção, a alma...

Escolher Jesus e renunciar ao mundo permanece um grande desafio para quem esteja saturado das ilusões e das mentiras, não para aquele que sonha e chafurda nos prazeres.

Estes, os decididos, que elegeram segui-lO, mesmo em soledade têm-nO.

A sua é solidão com Ele, o que equivale à plenitude, sem os demais.

Ao lado dessa agradável e confortadora companhia, em outros deambulantes encontra a sua real família, aquela cujos laços não se rompem e cuja vitalidade não perece.

Casas de amor em toda parte substituem a casa abandonada, em ruínas, sem qualquer sentido ou significado, diante dos corações afetuosos que se fazem novos lares de segurança e repouso.

Não faltarão, porém, os testemunhos naturais...

Quem opta, fica sem uma parte, e esta reage, às vezes, agride e fere.

O mundo é feito de utopias e os seus usufrutuários se apoiam na violência para não perderem o espaço que ocupam.

O Reino é ilimitado, no entanto, cabe no coração que não disputa áreas, nem posses.

Essa renúncia ofende os possessivos e dominadores de coisas nenhumas.

Não podendo submeter as vontades e virtudes alheias ao seu talante doentio, investem, furibundos, caluniadores, demolindo as construções da honra, do valor, do bem ou intentando consegui-lo com as armas de que dispõem: da traição, do escárnio, da zombaria, da falsa superioridade...

Aquele que os ame e compreenda por vê-los enfermos e necessitados, perdendo a vida física em suas mãos, ou a honra em suas agressões, ou a paz aparente em suas beligerâncias, ganhará a vida eterna, e com ela virá resgatá-los de si mesmos, reconhecido aos que lhe fizeram sofrer e que lhe apressaram a vitória.

A renúncia tem preço, e o êxito é a sua coroa.

⁂

A vivência do Evangelho com espírito de abnegação sustenta os laços de família, não os rompe.

Ante o matrimônio, os estudos, as profissões, a criatura segue o próprio impulso e, quando não aceita no lar, avança, assumindo riscos.

É a eleição pelo ideal, pelo que lhe parece melhor.

No que diz respeito à conduta cristã, o fenômeno é equivalente, com a diferença que o candidato prossegue amando os familiares e amigos que o não entendem, e tudo faz de bom a fim de os não magoar, deixando aberta a porta da afeição para o reatamento da compreensão e da amizade momentaneamente alteradas.

Seguindo com Jesus e sem a família, ao término da jornada, eis que poderá distender o braço na direção da retaguarda e levantar os que ficaram acomodados.

O inverso, porém, ficar com os afetos sem Jesus, é muito mais difícil para todos.

Escolhido o roteiro, surge a necessidade do equilíbrio na conduta.

Não disputar lugares.

Não se expor à lisonja.

Não ser o primeiro.

A consciência do dever leva o discípulo ao serviço e ao silêncio do *Eu*.

A maior ambição estabelece que se deve apagar, para que Ele brilhe.

Uma só coisa lhe basta: servi-lO através da Humanidade inteira, sua irmã.

Mesmo que todos o tenham em último lugar, ele faz-se o primeiro na ação do bem e da caridade.

O mais não importa.

Para quem ganha um tesouro com o qual se felicita, as outras aquisições perdem a importância.

Com Jesus, tudo o mais não tem sentido, é dispensável.

Só Ele tem significado.

A Transjordânia, rude e queimada, é bem o símbolo dos caminhos íntimos que o candidato à libertação deve percorrer.

Largas distâncias, calor inclemente, solidão e silêncio são alguns lances da opção.

De alguma forma, os homens vivem situações equivalentes no mundo, às vezes piores e em circunstâncias tão danosas que, não as suportando mais, fogem para as bebidas, as drogas, a luxúria, os vícios...

Uns enlouquecem e se aprisionam em lupanares de luxo ou cárceres de volúpia sem fim...

Outros emurchecem, desalentados, e fogem pelo abismo do suicídio abominável...

Solitários, na multidão que os bajula e aplaude, detestam-se e escarnecem de todos e de tudo.

Sorridentes, caminham infelizes.

Muito bem vestidos e ajaezados com metais nobres e pedras preciosas, têm a alma nua e ferida, pululando em demorada agonia.

Jesus, porém, na imensa Transjordânia em que a Terra se transformou, continua ensinando e aguardando aqueles que O queiram seguir para alcançar, ditosos, a Vida eterna com plena liberdade.

8

A ERA DO AMOR

O dia fora especialmente cálido.
Mesmo ao declinar da tarde, permaneciam no ar as correntes tórridas que sopravam desagradáveis.

A mensagem de libertação espraiava-se por toda parte, já impossível de ser detida.

O Mestre conseguira tornar-se a esperança das multidões saturadas pelos sofrimentos e sem mais amplas aspirações em relação ao futuro.

Todos O viam como a resposta de Deus às inumeráveis necessidades da criatura humana.

Ao tempo, no entanto, que o Seu verbo derramava as bênçãos de paz e alento entre os sofredores, os que se permitiam a dominação arbitrária das consciências e do comportamento do povo se levantavam contra Ele, tentando embaraçá-lO, macular-Lhe o conteúdo da palavra, lançá-lO contra a rigidez da Lei Mosaica.

Na oportunidade, leniam os corações, os ensinamentos a respeito do amor, do perdão das ofensas e da compreensão das faltas do próximo, provocando acirrados debates entre os Seus adversários gratuitos, que O acusavam de contrariar o estatuto legal vigente, herança enfermiça dos princípios de Talião.

Foi tomado pelo rancor, em face da serenidade do Senhor, que Nathan ben Assad, fariseu conhecido pela impiedade nos julgamentos e pela conduta excessivamente austera, procurou o Amigo dos infortunados e Lhe indagou, arrogante, em plena praça, na risonha e bela Cafarnaum:

– *Tu ensinas* – perguntou-Lhe com desdém – *o amor irrestrito e o perdão incessante, em quaisquer circunstâncias e a todas as pessoas?*

A interrogação direta recebeu uma resposta imediata e clara.

– *Sim. Do contrário não é legítimo o amor que se limita a circunstâncias e se circunscreve a indivíduos especiais. O verdadeiro amor é uma atitude interior que se expande como acontece com o ar, que a tudo e a todos vitaliza.*

– *Mesmo àqueles que fomentam o ódio, que se tornam* execrandos *pelos crimes que* perpetram?

– *Sem dúvida. A todos estes, porquanto mais do que outros, eles se encontram enfermos e necessitados, carecendo da terapia do amor, a fim de se recuperarem do mal que os aflige, tornando-se, então, cidadãos úteis ao conjunto social.*

– *E o criminoso insensível* – retrucou com fácies congestionada pela cólera surda que o dominava – *não deve ser justiçado pelas cortes encarregadas de preservar a paz e a ordem, defendendo os fracos?*

– *Justiçar* – redarguiu Jesus, sereno – *não significa punir, revidar com o mal o mal que foi feito,* tripudiar *sobre* *as suas misérias e ulcerações morais... Justiça deve ser, antes de tudo, propiciar a oportunidade da reparação, de educação do <u>revel</u> para a vida digna.*

Na raiz de muitos males encontramos a ignorância como geratriz de todos esses infortúnios.

O criminoso é um enfermo, vitimado em si mesmo por desequilíbrios que ignora. Adicionados a essa causa, há os fatores sociais, econômicos, emocionais, que fomentam a alucinação a <u>desbordar</u> no crime, na delinquência...

– Não será justo, então, segundo o Teu código, matar legalmente aquele que mata, cobrar olho por olho e dente por dente *daquele que desgraçou outrem, roubou-lhe a vida, <u>dilapidou</u> o patrimônio alheio?*

– A Lei de Amor *procede do Pai, Causa Incausada do Universo, que estabelece o equilíbrio nas leis naturais como regra de felicidade e de ordem no Cosmo... Punir é reagir com ódio; cobrar erro com vingança é ser pior do que o delinquente, pois que este é infeliz, enquanto o juiz, em nome da sociedade e graças ao conhecimento que possui, deve ser sadio emocionalmente e equilibrado nas suas decisões, a fim de ser melhor do que o criminoso.*

Somente o ódio é vingador; e como a vingança expressa o estágio de primitivismo da criatura, esta não pode ser trazida ao código das leis em nome da justiça.

– Será, então, <u>lícito</u> deixar o criminoso à solta, a fim de que ele prossiga na sua carreira destrutiva?

– Não chegaremos a tanto. A técnica do amor receita para o delinquente a terapia do afastamento temporário da sociedade, qual ocorre com um doente portador de contágio, a fim de ser devidamente tratado, para posterior reintegração na comunidade dos sadios.

E, olhando fixamente o inquiridor, com doçura mesclada de sabedoria, o Mestre tentou encerrar a entrevista dizendo:

— *Matar o assassino não restitui a vida à vítima; amputar os dedos ou as mãos ao ladrão não devolve o furto ao seu dono; arrancar a língua do caluniador de forma alguma repara os males que a acusação falsa causou ao outro...*

O amor reabilita moralmente o caído, oferecendo-lhe os recursos para a própria recuperação, após a qual reparará os males praticados e seguirá além, abençoando as vidas pelo caminho, com os tesouros da sua boa vontade, graças à consciência dos novos deveres.

Quando o amor penetrar o íntimo dos homens, o ódio, que é a doença do egoísmo, cederá lugar à fraternidade e à compreensão...

— *E o perdão deverá ser sempre e constante, seja qual for o erro perpetrado?*

Jesus relanceou o olhar amigo pela multidão ansiosa que acompanhava o diálogo e arrematou:

— *O dever é perdoar setenta vezes sete vezes... cada erro da criatura, a fim de que aquele que perdoa sinta-se realmente em condições de ser irmão do seu próximo e saber que o seu é o amor por excelência, que procede do Pai e nada lhe pode entorpecer a grandiosidade.*

Nathan ben Assad meneou a cabeça, arrogante, e, lançando sobre o ombro parte do talit de orações, que lhe caía da cabeça ao longo das costas, bateu as sandálias no solo, levantando pó, e retirou-se, vociferando, sem querer entender a preciosa lição do amor.

Como se nada tivesse acontecido, mantendo o mesmo tom de bondade na voz e gentileza nos atos, Jesus prosseguiu, explicando:

— *O amor, em qualquer expressão, é a presença do Pai Criador sustentando a vida e dignificando as Suas criaturas. Um dia triunfará sobre todas as <u>conjunturas</u> e regerá todas as vidas.*

Iniciava-se ali a era do amor sem limite, único antídoto contra o ódio, que remanesce das paisagens morais primitivas do homem e que cederá lugar, oportunamente, à fraternidade e à paz nos dias do futuro.

9
CANDIDATOS AO REINO

A semana transcorria febril. A agitação substituíra a calma habitual naqueles convidados para a Nova Era.

Haviam deixado os seus haveres e interesses, abraçando as perspectivas e ambições diferentes, que lhes acenara, quase sem palavras, o estranho e poderoso Rabi.

O Seu olhar, ao alcançar-lhes a intimidade das almas, fizera que um incêndio interior lhes devorasse as pequenezes anteriores a que se aferravam.

Parecia que O aguardavam fazia muito e que já O conheciam desde antes, num remoto passado de que a memória não lograva recordar.

O primeiro encontro fora-lhes definitivo. Em vão revolveram os refolhos da alma, procurando identificá-lO. Esforçaram-se mesmo por arrancar-lhe a presença, terna e mágica, das suas vidas.

Queriam-nO e não O queriam, numa ambiguidade perturbadora de sentimentos.

Aquele amor os fascinava e atormentava.

Prometia-lhes em silêncio uma extremada ventura que os encantava e, ao mesmo tempo, fazia-os temer.

O certo é que não estavam acostumados ao amor, nem àquele suave e poderoso convívio com Jesus.

Ele os <u>dulcificava</u> e lhes preenchia os imensos abismos do coração.

Reconheciam as fraquezas próprias e desejavam fugir d'Ele, como se algo os ameaçasse ou conspirasse para que não fossem felizes ao Seu lado.

Não obstante, ficaram e procuravam ser-Lhe fiéis.

Já se acostumavam com as Suas profundas exortações, enquanto se fascinavam com as Suas interferências nas vidas, restaurando a saúde física e mental em todos aqueles que Lhe buscavam o socorro.

Por isso, estavam um tanto inquietos, eufóricos.

Por fim, haviam sido lançadas as bases do *Reino* a que Ele se referira por várias vezes.

Jesus lhes falara da grande construção, da renovação da Terra, que se modificaria e do homem novo do amanhã.

Foi nesse clima de exaltação emocional que, ao término da semana de contentamento, aproveitando a magia da noite constelada num céu de turquesa-escuro, Tiago, habitualmente reflexivo e <u>reticencioso</u>, procurou o Mestre acompanhado por três personalidades, apresentando-as ao Construtor Divino.

Não era aquele um fato <u>inusitado</u>.

Com certa frequência, amigo e discípulos traziam interessados, que Ele ouvia com ternura e bondade.

Podia-se notar pela suas vestes caras e adereços raros a posição social que desfrutavam.

Saudado, carinhosamente, pelo discípulo, este disse com emotividade malcontida:

— *Ouvindo-Te as instruções acerca da Idade Nova que já inauguras e em torno do programa de edificações em pauta, consegui interessados para contribuírem contigo, em favor do novo Reino, na Casa de Israel.*

Fazendo um silêncio para bem colocar as propostas, convidou um deles, de aspecto venerando, e o apresentou, informando:

— *Este é Sadock ben Eliazar, famoso construtor, admirado e por todos buscado, graças à segurança e majestade que dá às suas obras. Ele deseja participar do empreendimento no qual nos encontramos engajados.*

Dirigindo-lhe o olhar penetrante, o Senhor aguardou-lhe o pronunciamento, que se não fez demorar:

— *De fato* – completou o candidato – *encaneci os cabelos na ciência e arte da construção. As obras mais famosas de Jerusalém, à exceção do augusto templo, passaram pelas minhas mãos ou as dos meus auxiliares nas últimas quatro décadas.*

Estou interessado na tua empresa, de que fui informado, pretendendo oferecer plantas e operários, material e experiência de que disponho. Todavia...

A interrupção significativa criou um natural silêncio, que ele próprio quebrou, ao completar:

— *...Todavia desejo o anonimato. Tenho família honrada e distinta, um nome a zelar... Tal realização, parece-me, é revolucionária e os riscos, inevitavelmente, são grandes. Roma nos esmaga, e o Sumo Sacerdote nos vigia. Qualquer* deslize ou descuido pode arruinar o programa. Eu não tenho o direito de pôr em risco desnecessário aqueles que confiam em mim.

Sorriu, algo constrangido, e afastou-se com elegância.

O apóstolo, contente, apresentou o outro amigo, de meia-idade, robusto, retratando a boa nutrição e cuidados de que desfrutava.

— Aqui temos Melquíades bar Josafá, homem dos mais estimados de nossa geração. Rico, é possuidor de largos <u>tratos</u> de terra e senhor de muitos trabalhadores. Justo e bom, sentiu-se atraído, graças às informações que lhe dei, a cooperar com a tarefa que se delineia.

Porque Jesus o olhasse em interrogativo silêncio, o apresentado completou sem acanhamento:

— Os meus bens procedem de ancestrais veneráveis de nossa raça, a que tenho a honra de pertencer. Pressinto que o revolucionário esperado já chegou, e que és Tu... Assim, predisponho-me a ajudar-Te, oferecendo-Te dinheiro e tudo quanto necessitas para a vitória. Entretanto, não me posso apresentar pessoalmente para as operações que serão desencadeadas. No momento, encontro-me sob pesados compromissos que me exigem a presença a fim de lograr as soluções <u>exitosas</u>. Cumpre-me preservar os deveres abraçados, enquanto estabeleço compromissos novos para amanhã.

O Mestre olhou para o terceiro visitante, que Tiago conduziu com entusiasmo, informando:

— Este é Benjamim, que vem da casa de Judá, e é especialista em estratégia militar. Nestes dias, consultado por patriotas insatisfeitos com os romanos e também <u>açulados</u> por alguns sacerdotes mais ortodoxos, aconselhou-os a esperar, por não ser este o momento hábil para abater a águia devoradora *que consome as carnes do nosso povo enfraquecido. Hábil e profundo conhecedor das manobras militares, apesar da sua juventude, fez-se conselheiro de experimentados chefes de guerra... Ouviu-me falar de Ti e candidata-se...*

Sem aguardar o convite para externar-se, foi vencido pelo entusiasmo juvenil, e acrescentou:

– *É verdade, Senhor. Desde o primeiro momento em que tomei conhecimento da Vossa tarefa, que percebi ser ela a portadora da vitória. Um homem que enternece pela palavra e que cativa pelo coração, arrasta as multidões e comove os soldados. Líder natural, faz-se símbolo do povo e agita as massas. Vosso verbo incendeia e o Vosso comando supremo arrebata. Assim, coloco-me às Vossas ordens para o combate. Servirei sob Vosso comando e estou disposto a ofertar-Vos as minhas habilidades. Sou moço e sonhador. Nada temo. Apesar disso, gostaria de governar Jerusalém, após as* refregas, *quando a vitória nos der a palavra da glória...*

Havia emoção e alegria no jovem.

Jesus, porém, agradeceu gentilmente a oferta dos três nobres candidatos e pediu licença para retirar-se da sala.

Tiago, decepcionado com a indiferença do Amigo, após externar o seu agradecimento com encômios e bajulação aos visitantes, correu à presença do Benfeitor silencioso e, não sopitando o aborrecimento, explodiu:

– *Não Te entendo! Programas uma obra, um Reino novo e uma revolução libertadora, todavia, quando Te trago o que há de melhor, não tens sequer uma palavra de consideração, entusiasmo ou estímulo para com eles ou para comigo. Que pretendes afinal?!*

Jesus relanceou o olhar pelo Infinito atingível e, muito calmo, esclareceu:

— *Venho fundar o* Reino de Deus *nas almas, sem aparências exteriores. Os do mundo são transitórios, por mais* opulentos *se apresentem. Erigidos com mão escrava e argamassados com sangue, carne e lágrimas, ocultam por detrás das fortes paredes as misérias dilaceradoras que não conseguem modificar. O meu Reino é estruturado com o amor e a renúncia, objetivando a libertação das consciências e dos sentimentos. Programado para a vida eterna, exige dos que se candidatam à sua edificação o sacrifício, a abnegação e o espírito de serviço.*

— *Mas, Senhor* — interrompeu-O o companheiro, desiludido —, *trata-se de excelentes cooperadores, que poderias utilizar, apressando a obra.*

— *Sem dúvida, Tiago* — ripostou-lhe —, *são pessoas distintas e poderosas. Convém, porém, recordar que o primeiro ambiciona manter as comodidades e a projeção, distância e discrição, não se submetendo a riscos nem a sacrifícios pessoais. O segundo, montado em valores que passaram por várias gerações, pretende permanecer* guindado *na posição que desfruta, e o último, embora sonhador e jovem, é carniceiro presunçoso, exigindo uma governança* faustosa *para a vaidade que o asfixia na ambição desmedida. Contudo, respeitando-lhes a visão da vida e os interesses a que se apegam, os meus planos divergem inteiramente dos seus interesses atuais. Talvez, a minha edificação, em face da sua própria estrutura de valor íntimo e eterno, demore de ser lograda, mas será conseguida um dia. Enquanto isso, eles passarão deixando os valores que retêm momentaneamente para outras mãos, as honrarias para outros equivocados e os tronos para diversos lutadores* desassisados. *Eu, porém, que os antecipei, estarei acima deles, reunindo os que têm fome* e sede íntimas de justiça e paz, anelando pelo Reino do Céu, destituído de aparências externas a eternizar-se no coração.

Um grande silêncio se abateu no ambiente, apenas quebrado, de quando em quando, pela voz do vento nas ramagens do arvoredo.

10

AMOR SEM LIMITES

A construção não obedecia a qualquer planificação anterior.
Nascida por efeito da necessidade de socorrer aqueles que não tinham onde repousar as fadigas nem os desgastes orgânicos, era um <u>reduto</u> de amor evocando a presença do *Crucificado sem culpa*.

Situada à margem da estrada entre Jerusalém e Jopa, fora erguida pelas mãos cansadas de Simão Pedro, ajudado por alguns companheiros afeiçoados à Mensagem, então viva nas mentes e nos corações.

A peça principal, com características <u>rústicas</u>, era dedicada às reuniões para o estudo da Palavra do Senhor, aos comentários e à assistência rápida aos enfermos que se podiam movimentar.

Lentamente surgiram os moribundos, que não tinham para onde seguir, e foram anexados, em derredor, outros compartimentos, que seriam ocupados por crianças abandonadas e velhinhos em <u>desvalimento</u>, perturbados da mente e obsessos que ali eram deixados pela indiferença de familiares impiedosos e amigos cruéis.

À medida que se tornava conhecida a *Casa do Caminho*, maior número de sofredores chegava com frequência em busca de piedade e apoio.

As dificuldades se multiplicavam à medida que a <u>escassez</u> de recursos crescia em relação ao número de bocas esfaimadas que chegavam...

Numa visão geral, aqueles diversos blocos de construção modesta faziam recordar dois braços abertos que no centro albergassem uma edificação maior.

Podia-se concluir que ali as mãos espalmadas da caridade sustentavam a fé, a fim de que nunca se apagasse a luz da esperança.

O pescador de Cafarnaum era a figura central da atividade socorrista, em volta de quem circulavam os problemas e afazeres complexos.

Tiago, mais afervorado à interpretação do pensamento de Jesus, preocupado com a preservação do Pentateuco mosaico, mantinha-se relativamente distante das atividades exaustivas e do contato com as pessoas que considerava impuras, que <u>repletavam</u> as várias dependências do refúgio de caridade.

Parecia-lhe, não poucas vezes, um desperdício de forças e de trabalho toda aquela movimentação e sacrifício que poderiam ser canalizados para a salvação das almas, que se compraziam na observância da Lei como dos profetas e demonstravam interesse pelo conhecimento da Boa-nova...

Simão, que conhecia de perto a pobreza e sentia o sofrimento, mais se afervorava à ação libertadora da beneficência, permanecendo, não raro, até avançadas horas no atendimento aos chegados e combalidos, aos atormentados e desfalecentes.

Quando a noite, cintilante de estrelas, anunciava a sua plenitude, é que, cansado, buscava a enxerga para o repouso de poucas horas.

Tão natural se lhe fazia a rotina, que chegava a esquecer-se das fadigas e de si mesmo, tentando reabilitar a *consciência de culpa*, decorrente das negações em referência ao Mestre...

Sempre que era convidado aos comentários públicos, testemunha dos momentos do Evangelho, reportava-se à grandeza do Amigo e à sua fragilidade de companheiro invigilante.

O verbo, nos seus lábios, vertido do coração sensível, adquiria tons de beleza, autenticada pelo magnetismo da sua vivência.

Tornara-se, desse modo, figura obrigatória nas narrações dos atos do Mestre, que os frequentadores da Casa passaram a amar com respeito e consideração.

As notícias fascinantes, por sua vez, atraíram maior número de interessados.

Porque se tratava do Lar de todos, onde se romperam as barreiras do preconceito e do separativismo, os doentes morais e os equivocados passaram a frequentá-lo com indisfarçável alegria. Afinal, os ensinamentos eram-lhes dirigidos como fórmula eficaz para a liberação dos seus problemas e delitos.

Compreensível que se misturassem as pessoas tidas como de *má vida* com as outras, consideradas virtuosas, que se constrangiam em ter que as suportar.

Algumas mulheres reconhecidamente levianas e vendedoras de ilusão sentiam-se tocadas pela bondade do Galileu e tornaram-se habituais participantes das explicações semanais, à tarde. Dentre elas, conhecida *pecadora* passou a apresentar alteração de conduta, exigindo do pregador maior soma de atenção e assistência.

Voltado para as recordações do Mestre e as tarefas junto aos infelizes, Simão não percebeu o encantamento que passou a dominar a aprendiz em relação à sua palavra e pessoa.

Pôs-se a assediá-lo, a pedir-lhe ajuda, desviando-o dos compromissos de urgência, até o momento em que se lhe desvelou, num misto de sofrimento e cinismo.

Colhido pela surpresa rude, o filho de Jonas perturbou-se, sem saber como proceder.

Recordou-se da juventude louçã, das experiências conjugais, da viuvez, do compromisso com Jesus e, diante da mulher ofegante, visivelmente perturbada, que lhe impunha uma definição, sentiu-se atordoar, sem identificar por qual caminho seguir, quais palavras dizer.

Certamente, não mantinha qualquer outro sentimento, senão o de piedade pela irmã sofrida, que se lhe apresentava consumida pelas labaredas de paixão malcontida, agitada por Espíritos infelizes que se propunham ao escândalo e à hediondez...

Num átimo de minuto recordou-se do Mestre e, imaginando o que melhor convinha para o momento, justificou-se:

— *O amor que te devoto é do espírito e somente nele poderemos aguardar bênçãos. Elegi a morte do corpo, a fim de preservar a vida, quando abracei a cruz do Mestre, e não vejas em mim nada mais que um cadáver que respira, aguardando pela libertação que virá.*

A obsidiada, ralada pelo desespero do vício, <u>instou</u> nos propósitos inferiores de que se fazia objeto e tentou despir-se ante o discípulo constrangido, que a orientava.

Com os olhos nublados de pranto e túmido o peito, Simão a deteve, considerando:

— *Verifico o meu fracasso mais uma vez... Intentando apresentar Jesus aos meus ouvintes, apenas logrei expor as minhas feridas... Referindo-me às glórias do Reino de Deus, inspiro paixões avassaladoras, e conclamando à verdade, conduzo apenas à alucinação. Perdoa-me, filha, se não logrei levantar-te, mas, ao mesmo tempo, ajuda-me a não te afogar mais no pantanal.*

Nossa Casa é tua, e volta aqui quantas vezes queiras e possas. Todavia, não te esqueças, que é também a Casa onde Jesus habita e age, trabalha e repousa, convidando-nos a todos para o banquete da redenção que nos espera. Por agora, vai-te em paz e deixa-me na paz que encontraste, ao chegar aqui.

A aturdida, vitimada por compreensível crise de revolta, <u>blaterou</u>, chamou a atenção e partiu <u>assacando</u> acusações e injúrias ácidas, que <u>maceraram</u> o apóstolo dedicado.

Naquela noite, após as rudes refregas do dia, repousando sob velha figueira no pátio, Simão contemplou os astros <u>lucilando</u> no Infinito e recordou-se dos encontros com o Mestre, no seu lar, próximo ao lago, em Cafarnaum...

A recordação natural e rica de saudade fê-lo comover-se.

Sem dar-se conta, deixou a mente viajar pelas estradas das evocações, ao mesmo tempo que se culpava da própria inferioridade.

Nesse estado, embora ouvindo a <u>algaravia</u> dos alienados nos compartimentos próximos, o latido dos cães esfaimados em derredor e a música mágica da Natureza, percebeu, além da cortina de lágrimas, o vulto alvinitente do Mestre, sereno, como na ocasião em que caminhou sobre as ondas do mar na direção do barco...

Desejou explodir em júbilo, relatar a ocorrência, ouvi-lO, mas não teve tempo, porquanto o Amigo o confortou de imediato, elucidando:

— *Simão, a chama que coze o pão atrai a mariposa que, descuidada, nela se consome... O discípulo do meu Evangelho é um ponto vivo de referência onde se encontre, atraindo as atenções e sendo vítima das circunstâncias, em constante perigo, nunca, porém, em abandono, esquecido do meu amor.*

Não te martirizes, nem temas. A água refrescante e cristalina que mata a sede é também usada para diluir venenos terríveis de ação rápida.

Cada alma vê, no próximo, aquilo que tem no seu interior, e cada coração recebe a Mensagem de acordo com a própria necessidade.

Permanece fiel, e não desfaleças em ocasião alguma.

O sacrifício maior e mais agradável ao Pai é a sublimação do filho, na luta diária, ganhando vida e valor no atrito com o mundo, que o não respeita, porém, onde ele realiza a sua ascensão para os altos cimos.

Não te detenhas no exame do tormento da nossa irmã, com desprezo pela sua <u>torpeza</u>. Ama-a mais e a claridade suave do teu amor <u>luarizar-lhe-á</u> a alma, acalmando-lhe a

loucura e desenovelando-a do cipoal de trevas a que se junge.
Só o amor, Simão, possui a força mágica para solucionar todos os problemas.
Por isso, ama e ama com paciência sempre, confiando no Pai Todo Amor que governa o Universo.

Pedro desejou alongar a entrevista, no entanto, a figura diáfana se diluiu diante dele.

Voltando à realidade ambiental, Simão, renovado, passou a amar a todos com tal intensidade que, a partir dali, jamais tergiversou ou temeu, até o momento do martírio na cruz, em Roma, vários anos mais tarde...

11

A CEGUEIRA MAIOR

Considerada uma das cidades mais antigas da Terra, Jericó, em árabe conhecida como *Arihã*, na Jordânia, é um verdadeiro oásis entre as regiões áridas em que se situa.

Suas fontes jorram cantantes e transparentes, enquanto os leques de tamareiras oscilam aos ventos brandos do entardecer, contrastando com as laranjeiras luxuriantes e quase sempre em flor.

Surgida no período neolítico, aproximadamente no sétimo milênio a.C., era cercada de muralhas fortes, que, não obstante, foram reconstruídas cerca de dezesseis vezes apenas no terceiro milênio a.C.

Conforme a tradição, Josué a teria conquistado, derrubando-lhe as fortes defesas ao som das suas trombetas e quando lhe arremessou de encontro a sua lança, por volta dos anos 1400 a 1260 a.C.

Posteriormente, a regular distância, Herodes reconstruiu-a com beleza e jardins, preservando-lhe o prestígio de cidade amena, em razão do clima de que desfrutava.

Inúmeras vezes Jesus transitou pela agradável e festiva Jericó.

Centro comercial e agrícola próspero, era passagem quase obrigatória entre a Galileia e Jerusalém.

Sempre que ali esteve, a multidão, fascinada pelo Seu verbo e feitos, acompanhou-O.

As notícias, ganhando o volume das emoções das testemunhas, aureolavam-nO com fantasias e absurdos, provocando suspeição e maldade dos permanentes invejosos.

A verdade, porém, superava os exageros, e quantos se sentiam tocados por Ele entregavam-se a diferente curso de vida, jamais volvendo ao que eram...

Certamente, os seguidores anelavam pela Terra, enquanto Ele promulgava o Reino dos Céus.

Ele era o amanhecer diferente; e os homens, o crepúsculo de uma Era.

Ele se fazia a juventude, rica de esperanças; e os seguidores, a velhice das paixões.

Ele revestia-se de saúde, e os necessitados envergavam as doenças e os vícios.

Ele se espraiava em luz, enquanto os que O cercavam se debatiam em trevas...

Não deixava de ser um paradoxo estranho.

...E assim, Ele incendiou o *velho mundo*, dos compromissos mesquinhos, ensejando a visão ditosa da liberdade espiritual.

Jericó O recebia com entusiasmo.

A alegria da terra ressequida, quando beijada pelo orvalho, era o que se sentia na cidade quando Ele chegava. Como se <u>aragem</u> branda empurrasse o calor asfixiante para longe, era a sensação que Sua presença produzia.

Não apenas os desafortunados lhe requisitavam a atenção, em face da miséria econômica, senão os poderosos, igualmente portadores da miséria de natureza moral.

Havia em Jericó um conhecido mendigo, filho de Timeu, por isso chamado Bartimeu, que era cego.[4]

Sentado à margem da estrada, <u>carpia</u> a treva em que se encontrava mergulhado, rogando esmolas.

A esperança abandonara-o, substituída pela dor que nele fez morada.

Os largos anos de sombra marcaram-no de desencanto, e o desprezo que sofria tornara-o um morto que respirava num corpo cansado.

Nenhum ideal, forma alguma de alegria acenavam-lhe vida.

A monotonia da própria <u>desdita</u> não lhe piorava o quadro de infortúnio, ou motivo outro algum o retirava para uma ambição de <u>alvíssaras</u>.

A marcha dos desiludidos é sempre assinalada pela sombra mesclada de sombras.

Não, porém, naquele dia...

A notícia da chegada de Jesus à cidade deixara-o excitado, expectante.

---

4. Marcos, 10: 46 a 52. Vide em *Primícias do Reino*, de nossa autoria, o capítulo "Zaqueu, o rico de humildade" (nota da autora espiritual).

No máximo da amargura luzia-lhe uma claridade de esperança, um fiapo de fé, que passou a constituir-lhe estímulo que já não conhecia desde há muito.

Estava mergulhado nestas reflexões de alento, quando escutou a multidão pronunciar o nome de Jesus de Nazaré.

Todo ele se comoveu.

Aquela era a sua oportunidade, a última. Ouvira falar d'Ele e acreditava, na imensa descrença em que se aturdia, na Sua força restauradora.

Rompeu o silêncio, e a voz do desespero gritou pela sua boca:

— *Jesus, Filho de Davi, tem piedade de mim!*

Em vez de provocar a compaixão dos que passavam, o egoísmo deles repreendeu-o, pedindo-lhe compostura, exigindo-lhe quietação.

Tinham o Mestre e queiram-nO para si, sem facultar a mesma bênção aos demais.

O infeliz, todavia, sem temer, com a coragem dos desesperados, prosseguiu, rogando:

— *Jesus, Filho de Davi, tem piedade de mim!*

O Senhor, sentindo-lhe a ansiedade e a fé, compadeceu-se dele e pediu que o chamassem, trazendo-o à Sua presença.

Mudara-se a paisagem emocional.

Os acompanhantes, estimulando o cego, já lhe acenavam esperança, afirmando:

— *Coragem, levanta-te, que Ele te chama.*

Desejavam mais um fato, sempre um fato novo.

O diálogo foi de encantamento.

— *Que queres que te faça?* — inquiriu Jesus.

— *Rabboni, que eu veja!* – respondeu-Lhe o cego.

Naquele rápido minuto, que sintetizava toda a vida nas sombras, ele quis gritar, mas se deteve paralisado.

— *Vai* – impôs-lhe o Mestre –, *a tua fé te salvou!*

Bartimeu não teve tempo sequer para reflexionar, pois a voz, vibrante e rica de harmonias, penetrando-lhe a acústica da alma, fez que lhe explodisse a claridade nos olhos apagados, e ele enxergou.

A luz dourada do Sol, o verde da vida, as cores variadas da festa do dia e do sorriso dos homens dominaram-no, impondo-lhe a sinfonia das lágrimas.

À dor do momento inusitado, fizeram-se a adaptação e a alegria da visão em festa de beleza.

Quando ele quis agradecer, o Mestre se havia afastado.

Nunca Ele recebia o reconhecimento dos beneficiários do Seu Amor.

Bartimeu é o símbolo dos cegos espiritualmente, em todos os tempos.

Jericó é ainda o mundo moderno.

Pede-se-Lhe que cure e recusa-se a saúde que Ele oferece.

Anela-se pela Sua presença, enquanto Ele é repelido pela astúcia e ambição humana.

Buscando a paz que Ele representa, os homens fomentam a guerra em que se consomem.

São os mesmos cegos espirituais que têm Jesus e, porque sem fé, não O buscam, ou, quando Ele chega rejeitam-nO.

Esta é a cegueira maior e pior, porque da alma rebelde, ingrata e insatisfeita.

12

...E EXPULSARAM-NO DALI

As heranças morais do primitivismo humano demoram-se como chagas abertas, <u>exsudando</u> desagradavelmente, embora a meditação eficiente da evolução desconsiderada.

As criaturas aferram-se aos ódios, quando apenas poderiam amar, permitir-se o forte <u>tropismo</u> do amor.

Há ódios de casta, de raça, de religião, de paixão dissolvente e ódio de ter ódio.

O ódio que asselvaja, cega, alucina, mata e se mata.

A opção por ele é viciosa, porque o ódio é enfermidade <u>vil</u>, que os homens preferem cultivar, tornando-se infelizes.

Jesus sempre o enfrentou com um antídoto único, eficiente e poderoso, que é o amor.

Jamais revidou, porque a luz absorve a treva como o amor dilui o <u>miasma</u> que do ódio se exterioriza.

No jogo das forças, a do amor perseverante predomina pela vitalidade de que se faz portadora, modificando a onda vibratória pela qual se espraia, gerando harmonia.

Por isso, Jesus permanece invencível ao longo dos milênios.

⁕

A Samaria primitiva fora construída por Omi, antigo rei de Israel, por volta de 880 a.c. Segundo a narrativa em *I Reis, 16: 22 a 29*, o monte, no qual se situa, fora adquirido por Semer, de quem lhe originaria o nome, a fim de tornar-se capital do reino do Norte, posteriormente à morte de Salomão, quando o país foi dividido, por volta de 922 a.c.

Graças à sua situação geográfica e estratégica, sofreu várias invasões e vicissitudes, especialmente por parte de Sargão II, da Assíria, que a conquistou, impiedosamente, no ano 721 a.c., após um cerco de três anos, tendo sido parte da sua população escravizada e enviada para a Média...

Quando os judeus retornaram da escravidão na Babilônia, mantiveram, de Jerusalém, indesculpável rancor, que passaria de uma para outra geração sob a justificativa de miscigenação racial...

Depois de cruéis dificuldades sofridas, Sétimo Severo ali instalou uma colônia para veteranos, passando a uma situação subalterna de longo curso.

O seu nome, Garizim, era o símbolo do ódio, por tentar competir com o de Jerusalém, onde o templo era a glória máxima de Israel.

Para os samaritanos, Deus repousava no seu santuário, desde a cisão antiga, que teve o seu máximo momento com Esdras, em 935 a.C., quando um sacerdote de Sião ali erigiu o santuário.

Israel nunca perdoaria os samaritanos pela audácia de desdenhar o augusto altar de Jerusalém...

O ódio alimenta-se do combustível da suspeição, gerando rancor venenoso.

A aldeia não era expressiva, mas, sim, poderoso, o ódio. Amontoado de casas entre caminhos tortuosos, não tinha qualquer significação.

Possuía mais orgulho que dignidade, mais violência que paz, mais miséria que elevação.

Por isso, pelo que dispunha, e era o pior, chegou à posteridade sem nome, sem glória.

Jesus e os discípulos seguiam a Jerusalém e passaram por ali.

Seus mensageiros iam à frente.

Estava chegando a hora, o momento do Seu testemunho, e Ele o sabia.

Todo ternura, derramava esperança e compaixão por onde transitava.

Aquelas terras, ora áridas, ora verdejantes, aqueles dias de sol, ricos de luz e noites abençoadas de estrelas, não tornariam a vê-lO.

A paisagem amena ou tórrida era percorrida pela última vez.

A canção iria silenciar a Sua voz suave e bela.

Nunca mais se escutaria igual outro cantor da Natureza.

Jamais se repetiria a música daquele poema de infinito amor.

Ninguém, no entanto, se dava conta.

A trêfega ingenuidade arquitetava planos terrenos, enquanto Ele elaborava programas espirituais.

Os Seus amigos viviam com Ele, mas não O conheciam. Compreendê-lO-iam mais tarde, só depois, quando Ele "fosse erguido"...

Quando os que O precediam chegaram à aldeia, a fim de adquirir víveres e mantimentos, somente porque estavam de passagem para Jerusalém não foram recebidos.

Não importava que eles não fossem judeus.

O ódio não logica, tenta dominar.

Obstruindo a razão, impõe-se, pois que é incapaz de conquistar.

Porque chegassem empós e vendo a rudeza, a maldade que explodia em ira, João e Tiago deixaram-se contaminar e rogaram-Lhe:

– *Senhor, queres que digamos que desça fogo do céu e os consuma?*[5]

A invigilância arma os desatentos, quando o homem se deve desarmar.

A paciência é a mestra do bruto, que o transforma, enquanto a compreensão faz-se o instrumento para que a compaixão perdoe o agressor, jamais revidando um com outro mal, nunca sintonizando com o desequilíbrio.

O sacerdócio era de amor e só com o amor seria realizado.

Percebendo a imaturidade dos discípulos e a sua pequenez, o Senhor repreendeu-os, seguindo para outra povoação.

Quando alguém despreza, outrem anela.

---

5. Lucas, 9: 54 (nota da autora espiritual).

Uns repudiam, outros desejam.

A vida é feita de buscas, de trocas, de encontros.

A aldeia insignificante expulsava Jesus, que é o Senhor do mundo...

Porque não vê, o cego reduz o Universo à dimensão do seu limite...

Os pigmeus consideram a vida sob o desfocar da sua altura.

A aldeia da Samaria era grande na sua pequenez orgulhosa e rica na imensa pobreza do seu desvalor.

O preconceito é a força da ignorância, e o ignorante se destaca na <u>pujança</u> da sua limitação.

Jesus estava ali, e os prejuízos morais O expulsavam por uma questão de estreiteza de conceito, de óptica, de paixão.

Os aldeãos nem sequer buscaram conhecê-lO.

Há um medo, quase inconsciente, da verdade; um terrível pavor da liberdade.

Por isso, o homem torna-se <u>libertino</u>, quando se supõe livre, e presunçoso, quando se crê na posse da verdade.

Jesus, não obstante, seguiu a Jerusalém, ao seu destino...

※

Há *samaritanos* e *judeus* pelo caminho da verdade.

Expulsaram Jesus e os Seus seguidores, das paisagens que supõem dominar, sem mesmo saber a razão.

Não se dão conta ainda de que eles passam e o Mestre fica.

Na sua mesquinhez aprisionam-se e não veem, senão o que lhes agrada a <u>morbidez</u>.

Incapazes de compreender, acusam.

Porque não podem amar, perseguem...
Os samaritanos expulsaram-nO dali; Ele, que sempre os tomou como modelo e foi, talvez, o seu único amigo na história dos tempos.

13

PERDÃO: A MELHOR TERAPIA

Extraordinária terapia para a exulceração moral é o perdão.
Elevada expressão do amor, abençoa quem o doa e apazigua aquele que o recebe.
Ninguém há, que passe pela existência corporal, sem necessitar do seu lenitivo.
Sem ele, o clima social se intoxica com os vapores venenosos e os indivíduos se asselvajam, descontrolados; a intolerância extrapola na agressividade e a ira arma o ódio de vingança brutal...
O perdão chega e suaviza a gravidade do delito, auxiliando na reparação, mediante a qual o equivocado se reabilita, alterando a conduta e tornando-se útil à comunidade onde está situado.
Quem perdoa, cresce; quem recebe o perdão, renova-se.

O doador enriquece-se de paz, e o beneficiado recupera o valor para dignificar-se através da reabilitação.

Enquanto o homem não perdoa, permanece no estágio primário da vida, renteando com a barbárie em processo de estagnação.

Aquele que recusa o perdão, duplamente enfermo, padece de hipertrofia dos sentimentos, ruminando desforço, atado a distúrbios da emoção.

Por ser de amor, toda a Doutrina de Jesus é lavrada na conduta do perdão.

Perdoando, o amor enseja refazimento da estrada antes percorrida com desequilíbrio, por cujo esforço a consciência amplia o campo de serviço e se desalgema do remorso, da intranquilidade, do medo...

Não é importante que o outro, o agressor, aceite a vibração luarizadora de quem perdoa, porquanto a ação beneficente é sempre maior e mais útil para quem a exerce. Todavia, se a onda de amor encontra receptividade naquele a quem vai dirigida, mais extraordinários serão os efeitos da doação.

Há reações infelizes que explodem no homem, gerando conflitos como efeito de mágoas não superadas, de receios infundados, de angústias não diluídas.

Aspirando a psicosfera dos ressentimentos e da amargura, o indivíduo apequena-se, envenenando-se e reagindo de forma irracional.

Compraz-se em infelicitar, porque é desditoso; alegra-se em ferir, em razão de estar doente; semeia incompreensões, porque se acredita menosprezado.

A Boa-nova possui um conteúdo de restauração, de enobrecimento, de dignificação.

Ninguém que a recebe, que se não toque da sua magia transcendente.

Protótipo do amor que fecunda o perdão, Jesus transpirava a compaixão com que envolvia todos que d'Ele se aproximavam, sempre compassivo, por conhecer as mazelas humanas e as paixões mesquinhas, dominadoras, que governam os homens.

A Sua presença na Terra era um ato de perdão divino aos delinquentes humanos, que trucidaram os profetas e O crucificariam, sanguissedentos.

Apesar de saber o que O aguardava, pôde amar e perdoar os trêfegos e insensatos com os quais compartiu as Suas horas, ensejando-lhes responsabilidade e elevação.

...E, mesmo quando foi abandonado e posto na cruz, prosseguiu perdoando, para retornar, após a noite da morte, a fim de positivar a claridade do dia de vida eterna.

As parábolas Lhe escorriam dos lábios como pérolas luminíferas, para adornar as almas em sombras da ignorância.

A Galileia querida, espraiada entre o Mediterrâneo e o Mar Morto, ia ficando para trás.

Já não haveria retorno daquela vez.

A Judeia, astuta e perversa, rica de pobreza emocional dignificadora, se tornaria o palco para o grande testemunho, a imolação...

As ciladas armadas pelos inimigos do progresso não O retêm. Ele desvencilha-se com facilidade, elucidando que "somente lobos caem em armadilhas para lobos".

Os discursos de amor e de esperança, como onomatopeias da Natureza, vão alcançando as almas, para ficar impressos por todo o sempre nos corações.

— *O Reino dos Céus* — narrou Sua meiga e poderosa voz — *é comparável a um rei que quis tomar conta aos seus servidores.*⁶

As atenções se fixaram n'Ele, na mensagem de sabor ancestral.

Tendo começado a fazê-lo — deu prosseguimento, calmo —, *apresentaram-lhe um que lhe devia dez mil talentos. Mas, como não tinha meios de os pagar, mandou seu senhor que vendessem ele, sua mulher, seus filhos e tudo o que lhe pertencesse para pagamento da dívida. O servidor, lançando-se-lhe aos pés,* <u>conjurava-o</u>, *dizendo: "Senhor, tem um pouco de paciência e eu te pagarei tudo". Então, o senhor, tocado de compaixão, mandou-o embora e lhe perdoou a dívida.*

O débito era grande e a Lei permitia que toda a família respondesse por ele, podendo ser vendida, a fim de ser resgatado.

O endividado, no entanto, pediu nova oportunidade, <u>prosternando-se</u> e suplicou.

A concessão lhe foi feita com integral dispensa do pagamento.

Uma grande dívida e um largo gesto de perdão.

Embevecidos, os ouvintes acompanharam o acontecimento ali exposto.

Esse servidor, porém — continuou com tranquilidade —, *ao sair, encontrando um de seus companheiros, que lhe devia cem dinheiros, segurou-o pela goela e, quase a estrangulá-lo, dizia: "Paga o que me deves". O companheiro, lançando-se-lhe aos pés, conjurava-o, dizendo: "Tem um pouco de paciência e eu te pagarei tudo". Mas o outro não*

---

6. Mateus, 18: 23 a 35 (nota da autora espiritual).

quis escutá-lo; foi-se e o mandou prender, para tê-lo preso até pagar o que lhe devia.

A maldade é doença cruel.

A intolerância dela se deriva na condição de filha espúria.

A dívida era pequena, e a ganância, grande.

Perdoado o devedor em uma grande soma, não teve misericórdia do outro que lhe devia uma inexpressiva quantia.

A falta de compaixão enlouquece e degrada, enquanto o perdão cura e santifica.

— Os outros servidores — adiu, suavemente —, seus companheiros, vendo o que se passava, foram, extremamente aflitos, e informaram o senhor de tudo quanto acontecera.

Então, o senhor, tendo mandado vir à sua presença aquele servidor, disse-lhe: "Mau servo, eu te havia perdoado tudo o que me devias, porque mo pediste. Não estavas desde então no dever de também ter piedade do teu companheiro, como eu tivera de ti?". E o senhor, tomado de cólera, o entregou aos verdugos, para que o tivessem, até que ele pagasse tudo o que devia.

A lição de justiça marcha ao lado do ensinamento do amor.

Recusando-se ao amor, o homem tomba na Lei e sofre-lhe o efeito, pois que somente o amor possui bálsamo para todas as feridas.

Perdoado, não quis perdoar.

Amado, recusou-se a amar.

E concluiu, sábio:

— *É assim que meu Pai, que está no Céu, vos tratará se não perdoares, do fundo do coração, as faltas que vossos irmãos houveram cometido contra cada um de vós.*

No ar ficaram os últimos acordes do extraordinário ensinamento.

Perdoar, do fundo do coração – é a ordem nova –, a fim de ser perdoado.

O calceta, impiedoso e <u>venal</u>, que não perdoa, não mais dispõe da liberdade, reencarnando-se encarcerado na dor até que pague toda a dívida.

O perdão concede a liberdade, enquanto a exigência aprisiona.

A música da mensagem permaneceu no ar, anunciando a vitória do amor e do perdão como sublimes terapias para a felicidade humana.

14

A CONFIANÇA EM DEUS

Aos dias de abundância e destaque social, sucederam-se os de penúria e sofrimento.

Com a mesma brusquidão das tempestades veraniças, ele sofreu a mudança da calmaria para o tormento, vendo alterar-se a paisagem da existência.

Era como se houvesse experimentado várias vidas numa só, alternando as horas de conforto pelas de miséria.

O campo florido, que o Sol oscula na primavera, responsabilizando-se pela vida em exuberância, padece-lhe a ardência que estiola a vegetação, quando o dardeja, inclemente, com o calor.

A vida humana é um campo experimental sob o sol das oportunidades, que fomentam o seu crescimento ou danificam-no, de acordo com a incidência e qualidade dos sucessos.

A política arbitrária e trêfega, irresponsável quão criminosa nas mãos dos manipuladores desonestos, levou-o à desgraça, quando a habilidade dos intrigantes contumazes empurrou-o para o lado oposto dos interesses em voga.

Os sentimentos de elevação e de lealdade não vigem nos quadros ambiciosos dos políticos profissionais de todos os tempos.

Os seus interesses têm o preço da desonra e da consciência culpada, que anestesia por um pouco, enquanto permanecem a fatuidade e a ilusão.

Amalec bar Aquis vivera o fastígio e a opulência em Jerusalém. Transitava com facilidade na Torre Antônia, nos palácios de Pôncio Pilatos e de Caifás... Pertencente ao partido dos fariseus, fizera-se intermediário dos jogos escusos entre o Sinédrio e Roma. Amealhara fortuna, conseguira bajuladores, mas não fizera amigos.

Os poderosos, normalmente, estão cercados de homens interesseiros e ingratos, que os parecem proteger e sustentar, até quando descobrem que lhes convém mudar de equipe e de liderança.

Amam, na aparência, a si mesmos se amando.

São fiéis aos próprios propósitos, que disfarçam de altruísmo.

Acompanham os seus senhores, invejando-os, detestando-os, almejando-lhes o lugar e aguardando-lhes a queda, mediante a qual esperam oportunidade de ascensão para substituí-los.

Quase sempre, no grupo dos chamados partidários, há aqueles que anelam pelo comando.

Os mais hábeis títeres sabem disso, e, sempre que eles começam a destacar-se, podam-nos, reduzem-nos às posições vergonhosas... Quando o não fazem, tornam-se vítimas das suas armadilhas e maquinações.

Os lobos conhecem as manhas dos lobos.

Por isso, apenas estes caem nas armadilhas que para eles são preparadas.

Os felinos escondem as unhas entre os pelos macios, prontos para ferir e estraçalhar.

A <u>melifluidade</u> dos falsos amigos oculta as garras dilaceradoras da maldade pronta a desvelar-se.

Amalec o sabia, agora que era tarde demais para a recuperação.

Amargava o <u>ostracismo</u>, padecia a perseguição dos pigmeus que se agigantavam nas expressões da inferioridade. Estes, os homens pequenos, *engrandecem-se* quando podem submeter aqueles que os diminuíam. Estas, a vitória dos fracos, a alegria dos vencidos...

As festas que davam início à Páscoa tiveram o seu começo ruidoso.

Destacando-se entre os acontecimentos comovedores, sucedera o da entrada triunfal do Messias galileu.

As opiniões eram desencontradas. O Messias deveria proceder do tronco de Davi, das terras da Judeia.

Aquele Rabi, porém, era tido como galileu, e daquela região dizia-se que "nada de bom poderia vir".

Jesus, em Quem se confirmavam as Escrituras, era de Belém de Judá e descendente de Davi, portanto, da tradição profética.

Iniciara o Seu ministério entre os simples e sofredores, demonstrando que o *Reino* em instalação diferia das imposições terrestres.

Desta forma, pairavam no ar as melodias da felicidade entre os comentários festivos em torno do Triunfador recém-chegado.

Porque Jesus houvesse escolhido a casa de amigos nos arredores da cidade, a fim de pernoitar, simpatizantes e conhecidos foram estar com Ele, de modo a <u>haurirem</u> conhecimentos e informações da estratégia que pretendia usar, para a batalha, que todos sentiam deveria ser travada quase de imediato.

Já não havia como <u>postergá-la</u>.

O clima era propício, as circunstâncias faziam-se condizentes, a hora oportuna.

Por mais que o Mestre se reportasse a Deus, os amigos pensavam, confundiam-nO com as ideias preconcebidas dos louros humanos.

Os indivíduos preferem entender o que ouvem, conforme lhes <u>apraz</u>, de acordo com os desejos <u>acalentados</u>.

Quando a movimentação dos visitantes diminuíra, Amalec bar Aquis, que se insinuara entre os circunstantes, aproximou-se do Senhor, num momento de solidão, e desvelou-se.

Ele ouvira falar do Rabi e fascinara-se com as informações que lhe chegaram a Seu respeito.

Vira-O em triunfo e registara a profunda melancolia que Lhe sulcava a face.

Observara-O com a indiferença às oferendas e ao entusiasmo geral, sem trair qualquer alegria.

Fora a razão última que o trouxera ali. Sofrendo, podia identificar o sofrimento com facilidade, de relance.

O Mestre tocou-o, arrastou-o com o Seu magnetismo forte e <u>diáfano</u>.

Sem mais circunlóquios, compreendendo a escassez de tempo e a urgência dele, foi direto ao assunto da entrevista, indagando:

— *Eu sei que sois de Deus, pois que diferis de todos os homens que jamais conheci... Carrego pesado fardo de aflições e necessito ouvir-Vos. Tende paciência e ajudai-me. Como conduzir-se, na Vossa visão, o homem espoliado dos seus direitos e haveres, qual cadáver sob as garras de abutres famélicos?*

— Mantendo a confiança irrestrita em Deus.

— *E quando injustiçado, traído pelos seus amigos e relegado ao esquecimento daqueles que, inclusive, devem-lhe o que têm e o que são?*

— Perseverando confiante na justiça de Deus.

— *Se, adicionando aos sofrimentos experimentados, a família desertar, fugindo à solidariedade e ao dever sagrado do lar?*

— Aguardando em Deus e na Sua paternidade.

— *Todavia, quando a calúnia exorbita e a deslealdade ultrapassa todos os limites do suportável, sem apoio da religião, cujos representantes se voltam, agressivos e impiedosos, contra quem lhes suplica o apoio, que atitude tomar?*

— Continuar fiel a Deus, sem temer aqueles que perseguem e matam, não obstante, igualmente, virão a morrer, sem fugir da consciência que os chamará à reabilitação próxima ou mais tarde.

— *Então, a não reação, a submissão e a entrega são os melhores meios de conduta? Isto não significaria permitir que os maus e desonestos governem a Terra e as vítimas sacrificadas sejam pasto para a ganância deles? Tal comportamento, anuindo com o crime, não seria uma forma de aumentar-lhes* o poder, ao mesmo tempo, uma maneira de esconder a covardia pessoal?

— Os violentos sempre cedem lugar a outros violentos mais impiedosos. Quando se cede por medo, demonstra-se covardia moral e física, no entanto, ao fazê-lo por consideração à vida, atesta-se coragem pelos métodos habituais... <u>Engalfinhar-se</u> nas lutas selvagens pela disputa de valores sem valor real é <u>pugnar-se</u> por <u>nonadas</u>, que não preenchem o vazio do coração. Os dominadores, aqueles que traem, quantos se locupletam nos desvios da honra enganam-se a si mesmos. A presença do Pai Todo Amor, neles próprios, manifesta-se-lhes, oportunamente, sem que haja novos algozes para espoliá-los e afligi-los...

As Leis Universais expressam-se em trocas, mediante padrões de sintonia. Não há quem logre fugir de si mesmo. A verdade sempre alcança a consciência do homem, por mais pareça bloqueada... O que não sucede agora ocorrerá amanhã. Como o amor não vinga nem se vinga, sempre educa sem pressa, corrigindo sem punição. O homem bom vitimado é feliz, porque lhe tomando tudo, os inimigos não lhe <u>usurpam</u> a bondade. O homem mau, sofrendo aflições, prossegue em paz, porque perde as coisas <u>utópicas</u>, enquanto a si mesmo se encontra. Infeliz é quem toma, dilacera, usurpa, trai e sorri, fugindo da alucinação que o desarticula.

Sábio, ante as vicissitudes e ditoso sempre, é aquele que confia em Deus e a Deus se entrega, pois que, filho de Deus, a Ele cabe zelar e conduzir aqueles que cumprem a Sua Lei e trabalham pela implantação do Seu Reino no mundo enfermo e atormentado...

Calando-se, fitou com profunda compreensão e simpatia o interlocutor comovido, e afastou-se, tranquilamente, na direção da noite.

No zimbório de turquesa, as estrelas cintilantes confirmavam a grandeza de Deus, *cantando* um hino de eterna luz além e por cima da mesquinhez humana.

15

ENCONTRO DE REPARAÇÃO

O diálogo, na praça ensolarada, no qual a mulher adúltera foi compreendida por Jesus, tornou-se um esperado escândalo.

Surpreendentemente, o Mestre não censurou o delito, recomendando a <u>lapidação</u> da equivocada, nem a liberou de responsabilidade, considerando-a inocente.

Reportou-se, isto sim, à <u>leviandade</u> dos acusadores que se encontravam incursos no mesmo crime.

Tal atitude havia desconcertado os intrigantes e vingadores gratuitos, que se rebelavam contra a terrível chaga do organismo social, que é o <u>adultério</u>, esquecidos de que, ao lado da caída encontrava-se o comparsa que tombara no mesmo erro.

Passada a surpresa e debandada a multidão sedenta de sangue, e porque a sós, com a infortunada, o Senhor recomendou-lhe que não voltasse a pecar a fim de que não lhe acontecesse mal pior, conforme era habitual.

Naquela noite, no entanto, quando o episódio já esmaecia, inclusive, entre os discípulos, a mulher, decidida a imprimir novo rumo à existência, procurou o Amigo Divino, na residência que O acolhia...

Demonstrando, no constrangimento que exteriorizava, todo o drama e sofrimento maceradores, solicitou e conseguiu uma entrevista com Aquele que por cuja interferência tivera a vida poupada.

Compreendendo a angústia que a apunhalava, o Senhor ensejou-lhe o início da conversa de edificação, saudando-a com carinho e sem afetação.

— *Rogo perdão* — disse ela reticente — *por vir perturbar-Vos a paz.*

— *A verdadeira paz* — retrucou-lhe, calmo — *é a que flui do coração aclimatado ao culto do dever, que nada perturba.*

Fala tranquila e te ouvirei...

— *Sinto-me aturdida* — ripostou-Lhe em pranto —, *sem saber que rumo dar à minha existência. Lutei muito antes de tombar... O sedutor rondou-me os passos como lobo voraz ante a presa invigilante...*

Meu esposo, passados os primeiros dias da novidade conjugal, retornou às noitadas alegres, deixando-me em solidão... Enferma da alma e carente de bondade, permiti-me envenenar por tormentos que não merecem compaixão.

Com sede de ternura, embriaguei-me de concupiscência, *e ansiosa pela água pura do amor, chafurdei no lodaçal dos desejos doentios. O resultado foi a tragédia...*

Abandonada e sem lar, agora padeço o desprezo e a zombaria geral, não sabendo que rumo seguir, nem como agir.

Peço-Vos um roteiro e uma lâmpada acesa de esperança, a fim de prosseguir...

Jesus penetrou naquela alma ansiosa e sofrida, nela encontrando as dores da Humanidade através dos tempos, e considerou, bondoso:

— *A paciência e a confiança em Deus serão as duas providências iniciais que te facultarão a cura e a renovação da saúde. Cometido o erro, ele passa a pesar na economia social e a sobrecarregar a consciência culpada.*

Não é de importância o que os outros pensam de nós, e a cobrança, pela impiedade, com que desejam fazer justiça. O problema íntimo é o vital, e somente quando o homem se reintegra no concerto da ordem, do bem, é que pode fruir de tranquilidade.

Arma-te de humildade e confia no amanhã.

A memória do povo é fraca e passa rápida em relação às virtudes do próximo. Todavia, é firme, clara e duradoura em referência às faltas alheias, sempre recordadas com o ácido da acusação e os <u>acepipes</u> da malícia.

O exemplo decorrente do arrependimento se transforma na defesa do equivocado, que assim repara perante o Pai, ante si mesmo e a sociedade o engano perpetrado.

— *Para onde irei agora?* — inquiriu, vencida...

— *As aves dos céus têm ninho, as serpentes e feras, os seus covis, mas o filho do Homem não tem onde se agasalhar, vivendo sob a abóbada estrelada e avançando na direção do Infinito...*

Assim, busca a oportunidade de reparação e adapta-te à situação atual, aguardando o amanhã com a disposição de quem compreende o prejuízo a si mesmo causado, ao arrojar fora o hoje...

A <u>negligência</u> *do esposo ingrato e leviano não constitui respaldo para que assumisses compromisso infeliz semelhante. E porque ele é doente também, vivendo num organismo comunitário alienado do amor, não tem condições de distender-te a mão amiga, quando dele necessitas e conforme de ti no futuro igualmente dependerá.*

A vida é feita de permutas que facilitam a felicidade para todos, sem cujo concurso faz-se mais difícil.

Segue, porém, renovada pela certeza do triunfo, porquanto todo aquele que se levanta da queda, encontra apoio na fé e na luta para firmar-se.

O Pai Criador não desampara filho algum e vela, devotado, por todos.

Fazendo-se um silêncio natural, profundo e tocante, foi a mulher quem o arrebentou, rogando:

— *Permiti-me seguir-Vos, na minha pequenez, e dai-me a Vossa bênção.*

Jesus envolveu a sofredora em uma onda de ternura ímpar, e, erguendo-a, pois que, comovida, prosternara-se-Lhe aos pés, concluiu:

— *Vai, filha, e não sofras mais. Aqueles que se arrependem e buscam ensejo de redenção, encontram-no. Há sempre um lugar no rebanho do amor para as ovelhas que retornam e desejam avançar.*

Aonde quer que vás, eu estarei contigo, e a luz da verdade, no <u>archote</u> do bem, brilhará à frente, clareando o teu caminho.

No céu silencioso, a sinfonia dos astros espalhava luz cintilante, apontando o futuro.

Dez anos depois, na cidade de Tiro, uma casa humilde de aspecto e rica de amor recolhia peregrinos cansados e enfermos sem ninguém.

Uma mulher, que traía na face desgastada vestígios de grande beleza em decadência, reunia ali os infelizes, limpava-lhes as chagas e falava-lhes de Jesus.

Tornara-se, por isso, querida e respeitada por todos.

Num cair de tarde amena, chegou, trazido por mãos piedosas, um homem chagado, em extrema penúria, quase morto sob o fardo de mil vicissitudes.

Recolhido com carinho, teve as úlceras lavadas e aliviadas com unguentos medicamentosos, recebendo caldo reconfortante das mãos da caridade.

Quando se recobrou um pouco do desalento que o vitimava, ouviu a mensagem de encorajamento, em nome de Jesus, enunciada com unção e carinho pela desconhecida benfeitora.

Emocionado, e quase sem vitalidade, indagou interessado:

— *Esse Jesus a quem vos referis é o galileu que foi crucificado em Jerusalém?*

— *Sim, é Ele mesmo. Morreu por nós, mas volveu ao nosso convívio para nunca mais deixar-nos.*

— *E vós O conhecestes para terdes a certeza de que os Seus ensinos são verdadeiros?*

— *Sim, eu O conheci, oportunamente, quando a mim Ele salvou...*

— *Também eu tive a honra de O conhecer* — respondeu o moribundo, quase sem forças —, *mas não soube beneficiar-me. A vós Ele salvou, mas eu, egoísta e mau, detestei-O, afastando-me da Sua presença, confuso e amargurado.*

– Que vos fez Ele para que fugísseis magoado?

– Salvou a minha mulher que adulterara contra mim, e não me concedeu uma palavra sequer de consolação. Não pude compreendê-lO então.

Abandonei a companheira a quem eu infelicitara com os meus vícios e envenenei-me de dor.

Passados os anos e havendo despertado para a verdade, tenho-a buscado em vão por toda parte, até que a doença me devorou o corpo e aqui estou...

Embargada pelas emoções em desenfreio, naquele momento, a mulher recordou-se da praça e do diálogo, à noite, com o Mestre, um decênio antes, reconheceu o companheiro do passado e, sem dizer-lhe nada, segurou-lhe a mão suavemente e o consolou:

– O arrependimento do erro, a confiança em Deus e a paciência são os primeiros passos para a reparação de qualquer delito.

Deus é amor, e Jesus, por isso mesmo, nunca está longe daqueles que O querem e buscam.

Agora durma em paz enquanto eu velo, porquanto nós ambos já O encontramos...

16

A ARTE DE ORAR

As emoções de felicidade ainda não haviam passado totalmente.
Permanecia nas mentes e nos corações a <u>empatia</u> que a todos tomara desde a manhã, quando o Rabi, atendendo a solicitação dos amigos afeiçoados, ensinara-lhes a orar.

As dúlcidas vibrações da prece sintética, que apresentava todos os anseios e necessidades do homem perante o Pai Criador, ofereciam-lhes um clima psíquico de renovação e de entusiasmo que jamais desapareceria daqueles sentimentos afetuosos.

Foi com essa <u>estesia</u> interior que, à noite, sob um céu coroado de estrelas <u>aurifulgentes</u>, os discípulos se acercaram do Mestre em meditação e, porque o silêncio entrecortado pelas harmonias da Natureza permitisse, pediram-Lhe que se adentrasse em mais amplas explicações acerca da oração dominical que Ele estabelecera como um código de ternura e respeito para com Deus, a fim de que melhor pudessem penetrar nas realidades transcendentes da vida.

O Amigo Divino escutou o requerimento do afeto e, sem maior <u>delonga</u>, referiu-se:

— *A prece é, antes de tudo, uma atitude mental da criatura para com o seu Criador. Nela devem ser propostas as reais necessidades da alma, numa expressão de confiança e carinho, abrindo-se e desnudando-se, ao mesmo tempo permanecendo receptiva às respostas da Sabedoria Excelsa.*

Assim, a oração divide-se em três etapas, nas quais o ser dilata as suas percepções e amplia a capacidade de entendimento em relação a si próprio, ao próximo e a Deus.

Antes de mais nada, a oração é um ato de louvor ao Pai, o Doador de todas as horas, Fonte Augusta de todas as coisas, o Genitor Soberano do qual tudo procede e para cuja grandeza tudo marcha...

O louvor é uma expressão de carinho e reconhecimento que deve fluir do ser, de modo a produzir uma sintonia, mediante a qual transitem os sentimentos de exaltação do bem, para se abrir na rogativa em favor das legítimas necessidades, aquelas que se fazem indispensáveis para uma existência feliz e correta no mundo cuja transitoriedade constitui, por si mesma, uma advertência e um convite à humildade.

Não sendo o corpo mais do que uma veste, facilmente o uso lhe gasta a estrutura, e o término mui inesperadamente lhe assinala a conclusão da etapa para cuja finalidade foi elaborado.

Saber pedir é uma arte, de modo que a solicitação não constitua uma imposição apaixonada ou um capricho que não merece consideração.

Por fim, a prece deve revestir-se da emoção de confiança e reconhecimento, numa postura, através da qual, encaminhada a petição, o seu <u>deferimento</u> dependerá dos valores que não podem ser conhecidos do <u>requerente</u> e cuja resposta, qualquer que seja, será aceita com alegria...

Não <u>adestrado</u> para saber o que lhe é de melhor para o crescimento espiritual, a felicidade real, o homem solicita o que lhe parece mais importante, no entanto, só o Pai sabe o que é de mais valioso para o filho em aquisição de experiências.

Em face dessa realidade, nem sempre Ele concede o que se Lhe pede, conforme se quer, todavia, aquilo que pode contribuir para o bem legítimo do ser.

Fez um silêncio significativo, enquanto vibravam as melodias <u>sidéreas</u> nos ouvintes atentos.

Jerusalém, lentamente, apagava suas lâmpadas, vistas do alto do monte onde Ele e os Seus se encontravam, anunciando o repouso da cidade, graças ao avanço das horas.

Procurando, porém, fixar <u>indelevelmente</u> nos discípulos humildes a sabedoria em torno da arte de orar, Jesus encerrou:

— *A oração deve revestir-se, portanto, dos três atos consecutivos: louvar, pedir e confiar, agradecendo.*

Não será pelo muito falar, pelo <u>rol</u> da requisição ou pelas palavras que vistam as ideias, que a oração adquire valor; antes, pela inteireza do conteúdo e pelo sentimento de que se reveste, é que mais facilmente alcança os divinos ouvidos, ao mesmo tempo conduzindo de retorno a resposta celeste.

Porque um recolhimento, feito de unção e emotividade, a todos tomasse, o Mestre, sentindo as pulsações do rebanho submisso, convidou, gentil:

— *Sigamos a Betânia. Nossos amigos, Lázaro, Maria e Marta contam conosco logo mais, e agora deveremos partir.*

17

JESUS E AS AGRESSÕES DO MUNDO

A figura de Jesus impressionava pelo porte e grandeza. D'Ele se irradiava <u>peregrina</u> força que impregnava todos quantos se Lhe acercavam.

A Sua presença <u>infundia</u> respeito e ternura, mesmo entre aqueles que, obstinados, se opunham aos Seus ensinos revolucionários.

Naqueles dias, a notícia da conversão da equivocada de Magdala corria, de boca em boca, e os comentários apaixonados descaracterizavam a ocorrência.

Comentava-se, com certa leviandade, senão com malícia, que ela se deixara arrebatar pela personalidade carismática do Nazareno; outros informavam haver visto quando Ele expulsara os *demônios* que a controlavam; outros, ainda, esclareciam que nada houve demais, exceto a imensa compaixão com que Ele a envolveu, embaraçando os seus perseguidores, alguns dos quais, conforme era sabido, frequentavam-lhe o bordel...

Graças aos exageros, toda a cidade tomou conhecimento do fato e, porque muito comentado, fez-se notória a sua transformação moral de que a maioria duvidava.

Passada a curiosidade geral e <u>amainado</u> o impacto ante a presença da pecadora entre os Seus ouvintes, a cidade retornou aos hábitos <u>morigerados</u>, costumeiros.

Num entardecer, em que o céu de Magdala adquirira o tom de turquesa, num contraste com o poente em ouro derramado por sobre as colinas verdes e flechando com luz as águas transparentes do mar, acercou-se do Rabi respeitável ancião daquela comunidade.

De todos conhecido pela respeitabilidade moral e obediência aos códigos éticos da *Torá*, onde quer que se apresentasse ele catalisava as atenções, inspirando consideração.

Sua palavra se tornara de fácil acatamento e, em razão disso, os seus apontamentos eram aceitos e tidos em conta.

Com essa auréola de dignidade humana, aproximou-se do Mestre e apresentou-se com naturalidade.

— *Senhor, participo da vida deste povo e procuro ser fiel cumpridor das determinações de Moisés. Durante toda a minha vida, que se aproxima do seu término físico, tenho buscado a verdade, a fim de ganhar a alma... Falaram-me da Tua Mensagem e dos últimos acontecimentos, constatando que és o Enviado de Deus, Aquele que aguardamos...*

Fez uma breve pausa, e, ante a <u>anuência</u> atenciosa do ouvinte, prosseguiu:

— *Várias interrogações me bailam na mente, sem respostas, considerando as colocações que fazes a respeito da justiça e do amor.*

Gostaria de saber, desse modo, como agir ante um agressor que nos golpeia a face, tomado pela fúria do ódio?

Jesus compreendeu o conflito daquele homem justo e nobre diante da revolução nova e, sem qualquer enfado, redarguiu:

— *Apresentar-lhe a outra face, aquela que não foi atingida. Jamais esquecer que o agressor está perturbado e uma reação violenta por parte da vítima somente agravará a situação, que poderá culminar em tragédia.*

A tranquilidade do agredido infunde paz no violento, que se desarma do ódio e dá-se conta da sua hostilidade sem justificativa.

— *E se o indivíduo sentir-se bem com o mal que faz, continuando a infeliz investida da impiedade?* — indagou o interlocutor, intrigado.

Sem perturbar-se com a questão grave, o Mestre elucidou:

— *Revidar mal por mal é tornar-se igual ao mau. O homem bom e reto difere do infeliz pela conduta, não derrapando nos mesmos erros, nem assumindo idênticas posturas <u>desairosas</u>.*

Do seu tesouro de honradez, retira a melhor parte, que aplica em favor daqueles que, enfermos do comportamento, ainda não descobriram a excelência da paz, da não violência, da serenidade...

Quem devolve o mal pelo mal, ainda não despertou para a vida, porquanto, aquele que não se dedica ao bem, em favor do próximo, não acordou para as superiores finalidades da existência.

O ancião apresentava os olhos coroados de lágrimas de justa emoção. Jamais imaginara que os tesouros do amor eram oferecidos ao homem, a fim de serem multiplicados em bênçãos de fraternidade e carinho com os carentes e desafortunados do mundo.

Assim, envolto pela aura suave e doce do Cristo, desculpando-se, tornou a interrogar:

– *Como atuar em relação àqueles que, <u>acintosamente</u>, desprezam a verdade, trocando os valores espirituais pelas <u>facécias</u> terrestres?*

– *Compreendendo que são almas infantis, distraídas dos deveres maiores. Avançam no rumo de decepções e fracassos que irão identificando na sucessão do tempo, até que a dor se lhes agasalhe nas províncias da alma e resolvam-se por adquirir os bens que não desaparecem, que não se perdem...*

– *Senhor!* – exclamou o visitante, inquirindo. – *Como proceder com aqueles que nos agridem moralmente, através da calúnia, da traição, do adultério, da mentira, da <u>infâmia</u>?... São crimes que dilaceram a alma e não são passíveis de perdão, conforme penso. Que dizes?*

O Amigo dos infortunados penetrou os olhos transparentes no olhar ansioso do interrogante sincero e explicou:

– *Todos quantos nos apunhalam moralmente, temem-nos, invejam-nos, detestam-nos. A culpa é nossa, porquanto ainda não conseguimos inspirar-lhes amor. Quando o nosso amor lenir-lhes as doenças graves e perigosas do sentimento, eles se acalmarão ao nosso lado e ver-nos-ão por outra óptica, penetrando em nossa realidade íntima, que é de origem divina.*

Ulcerados interiormente, exteriorizam os seus tormentos atingindo o seu próximo com fria segurança de destruição.

Mais do que os outros, que são agressivos físicos, circunstanciais, devemos encará-los como necessitados de compaixão e de tolerância. O nosso amor logrará apresentar-lhes a outra face da vida e eles despertarão hoje ou tarde para o culto da solidariedade e do dever, respeitando o seu irmão e cooperando até mesmo com aqueles aos quais antipatizam e menosprezam.

Estamos no mundo, para que haja paz e saúde, indispensáveis à felicidade.

Não é fácil esta conduta, certamente, e o reconheço.

Todavia, muitos são chamados *para este cometimento*, porém, somente poucos escolhidos *logram alcançar as metas de libertação*.

E fazendo um breve silêncio, para que fosse apreendida a lição profunda, arrematou:

— Os histriões de todos os tempos zombarão destes ensinos, e os humoristas de todas as épocas provocarão sorrisos ante estas afirmações. Todavia, eles também são humanos e não marcharão indenes aos testemunhos, chegando o momento em que, equivocados, enfermos e esquecidos pelos seus adeptos e fãs, necessitarão de misericórdia e apoio. Nessa hora, estaremos vigilantes, distendendo-lhes o socorro e a ajuda que valorizarão.

Dando por concluída a entrevista, o Mestre afastou-se com passo lento, seguido pelos aprendizes, mergulhados em silêncio, meditando a respeito da conduta em relação às agressões do mundo, físicas e morais.

18

INESQUECÍVEL DIÁLOGO[7]

Jericó é tradicionalmente considerada como a cidade mais antiga da Terra, na qual o homem se teria instalado entre os milênios X e VII a.C.
Foi sem dúvida o berço da civilização.
Estendendo-se pelo vale do Jordão, espraia-se desde os picos nevados do Monte Hermon até as terras do Golfo de Akaba.
Pela sua paisagem verde e rica de águas no solo árido de Israel, passaram várias culturas, e povos diversos ali estabeleceram os seus fundamentos de civilização.
O terreno generoso é tido como o mais abençoado oásis da Palestina. Laranjais e bananeiras em abundância, flores de variado matiz, leguminosas e frutos específicos

---

7. Vide o Capítulo "Zaqueu, o rico de humildade", do *livro Primícias do Reino*, de nossa autoria (nota da autora espiritual).

da região, como tâmaras e amêndoas, falam da misericórdia do Senhor, caracterizando a sua fertilidade.

Graças ao seu clima ameno, apesar de ardente na quadra do verão, fez-se lugar de destaque elegido pelo ócio e pela riqueza material, como pouso para o conforto e área privilegiada para o prazer.

Não foi, porém, pelos fatores climáticos nem sociais que Jericó se adentrou pela Boa-nova, deixando um legado de emoção e entusiasmo para a posteridade.

Situada entre as terras amenas da Galileia e a adustez da Judeia, Jericó é, ainda hoje, passagem obrigatória para os viajantes que demandam uma ou outra região.

Jesus, periodicamente, passava por ali, e a Sua estada na formosa cidade sempre se fazia assinalar pela misericórdia e pelo amor.

Conta-nos o Evangelho que, numa dessas oportunidades, um publicano, sentindo-Lhe a grandeza e porque de pequena estatura física, trepou num sicômoro para vê-lO passar e comoveu-se.

Sonhava por encontrá-lO. Tinha sede de fraternidade porque lhe eram escassos os amigos.

Era um homem rico, porém detestado, vivendo sob altas cargas do ódio que lhe atiravam os inimigos, que eram muitos.

A abundância argentária decorria-lhe da posição social e da profissão que exercia como cobrador de impostos. Condenavam-no, no entanto, ele adquirira dos romanos esse direito em hasta pública, e aqueles que mais impiedosa campanha lhe moviam eram os perdedores que lhe disputaram a função e não a lograram.

A inveja é a arma de efeito mortífero que usam os débeis morais, os fracassados.

Elogiavam-no em presença e perseguiam-no a distância.

Acreditavam que por ser rico deveria cultivar avareza, pelo que seria punido por Abraão.

Zaqueu, todavia, encontrara no ofício exercido um meio que considerava nobre para viver e dignificar a família.

Naquele primeiro encontro com o Mestre, o dúlcido olhar de Jesus, em trânsito, penetrou-lhe como um raio de luz em noite escura.

Zaqueu desceu do sicômoro ouvindo a voz que lhe dissera: — *É-me lícito dormir hoje em tua casa.*

Certamente esta declaração do Senhor chocou os ouvintes. Os comentários se fizeram inevitáveis e um certo rumor de desagrado percorreu a multidão.

É comum nas pessoas exigirem que os seus amigos se tornem adversários dos seus inimigos, na solidariedade ao erro.

O Mestre, que se não impressionava com as reações dos que O seguiam, prosseguiu tranquilo na direção do lar do cobrador de impostos.

Zaqueu excedeu-se em generosidade, ante o evento, retribuindo os seus serviçais com excesso de soldo, num gesto de alegria incontida.

※

Quando o silêncio desceu sobre a residência do nababo, após a ceia lauta, marcada pelos gestos de ternura, Zaqueu, emocionado, agradeceu ao Mestre e, não podendo sopitar o que lhe encontrava estrangulado na garganta, expôs:

– *Todos ou quase todos me odeiam...*

Havia indecisão na voz e embargamento da emoção. Aquele era, no entanto, o momento mais significativo da sua vida. Estimulado pela radiosa expressão do Rabi, prosseguiu:

– *A ninguém nunca prejudiquei e procuro ser justo. Sem embargo, caluniam-me e agridem com palavras ásperas e olhares de reserva. Que fazer, Senhor, dize-me, Tu que tudo sabes?*

O Amigo Divino relanceou o olhar transparente pelo recinto e como se auscultasse a Natureza que cantarolava uma brisa sob o aplauso dos astros lucilantes, redarguiu:

– *Zaqueu, o dinheiro e a fortuna não são bons nem maus. O uso que deles se faz, a direção que se lhes dá é que os torna nobres ou desventurados.*

A moeda que adquire o pão é a mesma que fomenta a guerra... Quando o homem padece de fome, pode tornar-se um delinquente. O recurso que lhe mata a necessidade pode ser considerado como doação de Deus para a dignificação da criatura. O indivíduo sem teto retorna ao primarismo do passado. O dinheiro que lhe concede o amparo torna-se expressão do progresso em nome da caridade que o libera das paixões primevas. *O órfão esquecido, quando recebe o apoio argentário e um lar, ergue-se para a vida, tornando os recursos amoedados a mais grandiosa manifestação do amor do Pai...*

Fez um silêncio natural e, ante a alegria que extravasava a emoção do cobrador de impostos, continuou tranquilo:

– *O dinheiro fomenta o progresso da sociedade, equilibra a família, dignifica o homem, estimula a fraternidade, gera alegria e estrutura a esperança.*

Sem dúvida tem sido mal empregado, produzindo a usura e a insensatez das quais decorrem males sem conta, que respondem pela miséria moral, social e geral no mundo.

Deus não colocaria na Terra o dinheiro se ele não tivesse a missão de acompanhar o homem na sua marcha ascensional na busca da perfeição. Dia virá em que a troca de valores se fará por meio de outras técnicas e de outros recursos, dispensando o dinheiro. Por enquanto, porém, ele é veículo para o bem e a felicidade que a todos cumpre desenvolver, mediante a correta aplicação dos tesouros que chegarem a quaisquer mãos.

Abençoada seja a riqueza que gera paz, a moeda que liberta do sofrimento, o dinheiro que impele à felicidade, o recurso que santifica no exercício do desprendimento e na ação do bem.

O Mestre calou-se, e a noite prosseguiu em clímax de beleza.

Posteriormente, o cobrador de impostos, após cumprida a tarefa da família e distribuindo os recursos, foi viver e pregar o Evangelho noutras terras, recordando o primeiro encontro do alto do sicômoro e o inesquecível diálogo na intimidade do seu lar, que lhe deu vida.

19

ERGUE-TE E VAI![8]

Anunciada a tarefa, começaram os aprestos para sua realização.

As convulsões produzidas despertariam os mais controvertidos sentimentos.

Os galileus eram considerados desprezíveis na própria pátria, e os que se originavam da Nazaré pequenina menos respeito mereciam.

As paixões sectárias haviam dividido aquele povo reduzido em facções que se detestavam, e por isso Israel sofrera demorados e cruentos jugos através dos tempos, que lhe depauperaram a alma, não a aniquilando graças ao fervor religioso e ao ascético monoteísmo que lhe impunha sacrifícios e sofrimentos acerbos.

---

8. João, 5: 1 a 18 (nota da autora espiritual).

Jesus já estivera por mais de uma vez em Jerusalém, a cidade áspera dos profetas, desde que iniciara o messianato.

Nos intervalos da ação, retornara à Galileia gentil, passando pela Samaria e divulgando as notícias do Reino de Deus.

Na oportunidade, o Seu verbo ressoara na ação prodigiosa das curas, que comoviam e convocavam seguidores para o Seu rebanho de pastor das almas.

Há pouco, liberara o jovem filho de uma autoridade que, à morte, produzia terrível sofrimento na família. Nem mesmo o viu, sequer. À sua ordem, a distância, o rapaz sarou do mal que o consumia, deixando o pai e todos os seus, afervorados e reconhecidos.

※

A cidade febricitante regurgitava, naquela oportunidade, com a presença de muitos peregrinos.

As festas anuais atraíram visitantes de toda parte, o que ocasionava balbúrdia, agitação e fervor religioso.

Adentrando-se pela porta das ovelhas, parou um pouco junto à piscina da Bezatha, ou Betsaida, famosa pelos seus cinco pórticos, onde os enfermos, paralíticos e infelizes estagiavam aguardando *milagres* e socorros...

Uma velha tradição informava com viso de verdade que, vez por outra, um anjo lhe movimentava as águas, o que propiciava a cura de todas as mazelas orgânicas.

Certamente o movimento no seio se originava dos minadouros que a vitalizavam com o fluxo da correnteza.

Um paralítico, no entanto, que se lamentava sobre um catre de vergonha e desespero, anunciava a todos que, apesar de ali vir diariamente fazia trinta e oito anos, nunca se pudera beneficiar do favor divino, porque, tão logo as águas se moviam, alguém se lhe arrojava antes, por não ter quem o ajudasse a mergulhar naquelas correntes curativas...

Jesus compadeceu-se e, tomado de imenso amor, ordenou-lhe:

— *Ergue-te, toma da tua cama e vai!*

Fascinado, comovido por aquele Homem de olhar penetrante e dulçoroso, o paralítico moveu-se, pôs-se de pé e, exultante, tomou do leito, logo saindo a clamar hosanas.

Quantos lhe perguntavam quem era aquele que o libertara, não o sabia dizer.

Passeando a felicidade por toda parte, foi ao templo para que todos o vissem, quando ali reencontrou o Benfeitor e o apontou, sorridente, aos que o inquiriam sobre o acontecimento inusitado.

O Rabi, que conhecia as causas anteriores das aflições e a necessidade delas, tanto quanto o perigo da saúde, que mal aproveitada é geratriz de futuros males, informou-o, enérgico: — *Tem cuidado e não peques, para que te não aconteça algo pior.*

#####

A inveja farisaica, escrava da ortodoxia e do formalismo, porque soubesse que a cura se dera num sábado, numa violação ao artigo legal que prescrevia o repouso nesse dia, não podendo negar o fato em evidência, arremeteu contra aquele que realizava o que eles, os tecelões da intriga, não conseguiam, indagando, hipócritas:

— *Por que curas no sábado, todo ele dedicado ao repouso?*

Sem preocupar-se com as suas mesquinharias, o Senhor redarguiu-lhes:

— *O Pai trabalha continuamente, e eu também trabalho* — como a dizer que a preservação das leis que regem o Cosmo e a vida exige também trabalho.

O *escândalo* que as Suas ações produziam acumularia ódios que se voltariam contra Ele...

Na impossibilidade de O superarem, perseguiam-nO, arranjando motivos para desmerecê-lO.

A mesquinhez compete contra a grandeza, tentando solapar-lhe as bases.

Em todos os tempos, os pigmeus em espírito agredirão os gigantes do bem que não se deterão a responder-lhes ou mesmo a defender-se.

A inveja detestará sempre a honra e a beleza, disseminando calúnias.

O ódio seguirá as pegadas da ação dignificante, ateando os fogos da destruição para alcançá-la.

A hipocrisia engendrará tramas contra a lealdade, por lhe não suportar os testemunhos superiores.

...No entanto, acima de todas as vicissitudes, o bem triunfará sobre o mal, assim como a luz diluirá a treva sem alarde...

As coisas, os dias, estão na escola do mundo para que o homem os utilize no empenho de crescimento para Deus e não o homem que esteja para submeter-se às suas conjunturas.

Sempre será sábado para os ociosos e negligentes, mas para os obreiros da verdade cada hora de todo dia é sempre bênção para a renovação e o trabalho libertador.

Iniciada a tarefa evangélica, desatavam-se as cadeias do futuro e o pleno amor instalava, na Terra, o reino da felicidade, que jamais se acabará...

20

O POEMA DO PERDÃO

A semente de luz espraiava-se pelas margens das cidades humildes: Cafarnaum, Betsaida, Magdala, Corazim...

Um sopro renovador alargava-se em todas as direções, atingindo as mais diversas paisagens dos corações humanos.

A palavra era proferida em canto de beleza invulgar, como dantes jamais ouvida.

O Estranho chegara e arrebatara as multidões.

Sua voz coloquial penetrava o âmago dos sentimentos qual fosse uma bênção por todos aguardada.

Cada vez que os seus lábios se abriam, as palavras se convertiam em gemas de superior qualidade, em poemas de luz que despertavam as consciências para mais altas responsabilidades, para voos mais elevados...

Agora já O conheciam, porque Ele se identificara como o Messias.

Agitava-se, ao Seu redor, a massa amorfa, com o fermento das Suas Revelações.

A calúnia insaciável seguia-Lhe os passos abraçada à inveja doentia, enquanto o amor em canção de rara e profunda sabedoria, <u>esparzia</u> as dádivas da esperança, modificando as estruturas do comportamento humano de quantos se Lhe acercavam.

Israel seguia a Lei.

A formalística havia submetido o espírito da Mensagem de Vida, enquanto o povo sofrido padecia as constrições sociopolíticas de maior gravidade.

Os problemas de mais sérias e <u>intricadas</u> complexidades eram-Lhe apresentados, não para que Ele os solucionasse, senão para O surpreenderem em algum ponto contrário às imposições legais.

Penetrando nas almas e conhecendo-lhes as profundidades dos sentimentos infelizes, o Senhor colocava nos devidos lugares as situações conflitantes, sem comprometer-se nem dificultar a marcha do Seu verbo de libertação.

Cada vez, no entanto, mais graves se faziam as conjunturas a Seu respeito...

Foi numa dessas ocasiões, quando a *Lei de Amor*, apresentada em sublime conotação, balsamizou as almas, que Ele enfrentou a multidão angustiada, conclamando todos ao irrestrito perdão das ofensas.

— *Felizes são aqueles que perdoam, porquanto se liberam das paixões e adquirem a paz* — Ele dissera, com indefinível entonação de voz.

A extraordinária melodia do perdão alcançou a acústica dos ouvintes, qual brisa balsâmica acarinhando a ardência das emoções.

— *Quantas vezes, porém* — indagou Pedro —, *perdoarei ao meu próximo? Sete vezes?*[9]

Havia, na interrogação do discípulo, toda uma tradição ancestral e os laivos das humanas paixões que sempre estabelecem limites nas realizações mais elevadas.

— *Não apenas sete vezes, Simão, porém, setenta vezes sete vezes, e não será o suficiente em relação ao ofensor que teima em nos magoar.*

Quando a noite, porém, vestiu-se de astros balouçantes encravados no zimbório do Infinito, em colóquio particular com os amigos, ainda comovidos ante a revelação apresentada, Simão voltou a interrogar:

— *E se alguém, com quem não simpatizamos, ferir--nos, por motivo nenhum será lícito reagir, apresentando-o ao juiz?*

— *Não, Pedro. Todo aquele que agride, com ou sem motivo, encontra-se agredido em si mesmo.*

— *Isto, porém, não significaria apoiar a violência e permitir que os maus dominem os simples e humildes?*

— *De forma alguma. Os maus estão doentes, portadores de tormentos destruidores, no imo de si mesmos.*

Revidar-lhes a ofensa é forma de aumentar-lhes a capacidade de agressão. Somente o amor ungido de abnegação

---

9. Mateus, 18: 21 e 22 (nota da autora espiritual).

consegue produzir a real transformação interior de alguém e demonstrar o valor da paz para quem a perdeu...

— Nessa linha de raciocínio, indago — aduziu o amigo inquieto —, e se da agressão pura e simples ele partir para tomar, nas suas mãos desvairadas, a vida de um ente querido, trucidando-a?

— Ainda aí — redarguiu, sereno, Jesus —, o perdão assume um papel preponderante, porquanto mais importante se nos apresenta o desafio do amor, quanto mais grave e difícil é a situação que nos leva a perdoar.

— Mestre — propôs ainda o companheiro com os olhos nublados de pranto —, saber que um vândalo retirou do nosso carinho, pela violência, um filho, uma esposa ou uma mãe e não revidar, não significa apoiar e legitimar o direito da força?

— Simão — redarguiu o Mestre, docemente —, o Pai estatuiu Leis das quais ninguém se evade. Não colocamos aqui a questão em termos de esquecimento à responsabilidade, nem desrespeito aos códigos legais estabelecidos. Referimo-nos ao revide, ao ódio, ao plano de cobrança por parte daqueles que foram atingidos pela enfermidade agressiva do próximo desvairado.

Além de eles não fugirem da consciência, que os não esquecerá no tribunal de si mesmos, cabe-nos deixar que os organismos especializados cumpram com as suas atribuições. Nós, porém, permaneceremos confiantes de que nada acontece sem que seja pela vontade do Pai.

Assim, não provoquemos a ninguém, nem a ninguém firamos.

Silenciemos as ofensas e dispensemos a misericórdia em toda parte e com todos aqueles com quem convivemos.

— *Mestre, e se, por fim, nos matarem?* — propôs o discípulo sincero com a voz sumida pela emoção.

— *Viveremos, Simão* — ripostou com ternura o Amigo. — *Ninguém mata a vida. Prosseguiremos vivendo, tanto quanto o criminoso também viverá.*

Jamais te esqueças de que a posição de vítima é sempre a melhor, a mais feliz. Quem aos outros fere, a si mesmo se fere; quem ao próximo infelicita, a si mesmo se destrói no campo da emoção, com a diferença de que aquele que, aparentemente, é o perdedor, se amar e perdoar, estará isento de quaisquer aflições, ficando inatingido, desse modo, feliz...

Após uma pausa natural, na qual se escutavam as ânsias da Natureza em festas de onomatopeias e perfumes, o Rabi encerrou o diálogo, afirmando:

— *E quando eu for erguido* (na cruz), *atrairei todos a mim, perdoando-os até o fim.*

O Cordeiro anunciava a Sua imolação no altar do sacrifício, para ensinar ao mundo de todos os tempos o poema do perdão das ofensas, que é o momento culminante do amor total em abrangência de abnegação sem limite.

Naqueles dias, a Sua voz cantava nas praias e arredores de Cafarnaum, Betsaida, Magdala, Corazim...

Desde então, sempre que o carro do triunfo parecer conduzir os violentos e agressivos na glória transitória dos seus êxitos, as vítimas que tombaram sob as suas armas sanguinárias farão silêncio para que eles recebam as homenagens vazias do mundo, que lhes não apagarão da consciência as reminiscências dos próprios crimes e <u>desaires</u>.

O poema do perdão, hoje como ontem e certamente quanto amanhã, será o hino dos Espíritos em sublimação, que o cantarão enquanto galgam o Monte do Calvário, de cujo acume se alarão, imolados, ao Reino do Puro Amor, vestindo-se de eterna paz.

21

O ANJO DA FÉ

A convivência com Jesus facultava às criaturas entesourar os mais preciosos valores, porquanto são aqueles que não se perdem e não podem ser roubados.

Fixando-se nos refolhos da alma, tornavam-se estrelas <u>iridescentes</u> a clarear interiormente as vidas, sem que jamais viessem a apagar-se.

A Sua presença produzia singular impacto, e todo aquele que O fixava jamais poderia esquecê-lO.

Disputavam-se, portanto, atraídas por Ele, as criaturas que padeciam as mais variadas aflições. Ele era a esperança e tornara-se o amparo eficiente, aguardando sempre.

Às vezes, os beneficiários não se davam conta do significado, da magnitude do momento vivido ao Seu lado. Todavia, logo que os Seus olhos se encontravam com os dos necessitados e irradiavam a sua luminosidade peculiar, o ser deixava-se penetrar pela força incomparável de que eles se faziam portadores, mudando-se-lhe, completamente, o roteiro da existência.

Era compreensível que todos se atropelassem, a fim de ouvir-Lhe a voz e sentir-Lhe o contato amorável.

Renovavam-se as multidões sempre ansiosas. Aqueles que se sentiam beneficiados, saíam e narravam a excelência do Seu amor, provocando a presença de outros que se encontravam sem rumo, enfermos ou inquietos, curiosos ou intranquilos.

Jesus os acalmava, praticamente sem dizer-lhes nada.

Mais importante do que as palavras com que bordava as Suas lições era o magnetismo do amor que impregnava aquelas almas ansiosas e sofridas.

Natural que, terminadas as mensagens dirigidas ao público, permitisse aos mais angustiados que se acercassem para a comunhão profunda, a libertação de todos os males que os aturdiam...

Numa dessas jornadas, encerrado o contato habitual, acercou-se-Lhe uma mulher, visivelmente aflita, e apresentou-Lhe, na mágoa que a macerava, os problemas que lhe infelicitavam a vida.

— *Senhor* — expôs-Lhe, muito comovida —, *não tenho forças para prosseguir na caminhada, porque a dor me esfacela a alma e o ânimo me abandona a vida...*

Fez uma pausa, tentando sintetizar as questões mais graves, para logo prosseguir:

— *Meu esposo abandonou-me, injustificadamente, evadindo-se do lar e relegando-me à humilhação e ao desespero. Desprezam-me as pessoas amigas, que se dizem felizes, considerando-me indigna de um companheiro. Padeço a soledade* ao lado de uma família que necessita de apoio e sofro uma dor pungente, indescritível, que já não suporto. Que fazer?

O Mestre fitou-a com a infinita ternura que se Lhe exteriorizava da face e, buscando minimizar-lhe a pena, elucidou:

— *Todo aquele que sofre, não apenas se recupera de velhas dívidas como adquire recursos morais que o credenciam para conquistas mais elevadas. Solidão é recurso valioso de que se serve a Divina Lei para que o homem adquira sabedoria e valor para dilatar o amor sem as paixões que escravizam e entorpecem os sentimentos. Além disso, quando alguém é relegado ao esquecimento, pode aquilatar das aflições que se acumulam nos solitários. Razão, portanto, possuindo, para auxiliar e socorrer aqueles que se encontram em carência. Alguém em regime de solidão está em condição de oferecer apoio ao próximo, diminuindo as próprias penas, enquanto levanta o entusiasmo e a coragem no companheiro, que se esquece da dificuldade pessoal, reabastecendo-se de valor para não fracassar, nem desistir na luta que trava. Todo investimento que se aplica em favor do próximo reverte em luz e segurança para todos os dias do futuro.*

— *Todavia* — redarguiu a interlocutora —, *na situação em que me encontro, de mulher sozinha, experimento a presença da tentação. Homens <u>inescrupulosos</u>, acostumados a perturbar a paz alheia, acercam-se do meu lar, com disfarce de amigos, e logo se apresenta a ocasião, exteriorizam os sentimentos que conduzem... Revolto-me, embora o apelo perturbador me alcance. Como proceder?*

— *Perseverando na honra* — alvitrou o Amigo. — *Não permitir jamais que a fagulha da ilusão caia no combustível da fantasia, o que resulta em surgimento de incêndio* *devorador, de difícil extensão. O erro é deixar-se que a imaginação agasalhe sonhos insensatos, porque os pesadelos da desesperação irão despertar o <u>incauto</u> para a realidade do sofrimento que buscou. O remédio é sempre o trabalho do bem, objetivando o próximo. Quando alguém sobrepõe aos próprios problemas o esforço para auxiliar o seu irmão, eis que as dificuldades ficam esquecidas, oferecendo campo à alegria de viver.*

– E quando a ira, a mágoa – retornou a cliente a indagar *– desejarem aninhar-se no coração, asfixiando a paz e envenenando os sentimentos, como agora?*

Jesus fitou a noite constelada, que convidava à reflexão, e, encerrando a entrevista, concluiu:

– O fiapo de luar, a distância, dá a falsa impressão de que <u>Selene</u> se encontra moribunda, extinguindo-se, lentamente. Todavia, sabemos que, logo mais, na próxima quadra, ela ressurgirá do outro lado da Terra, derramando prata e embelezando a noite, demonstrando que só a luz tem <u>perenidade</u>... O bem é de sabor eterno, enquanto o mal é a ausência daquele. A mágoa é tóxico que não merece vitalização, porque <u>ressumbra</u> dos estágios primitivos e instintivos da vida, com objetivos fatais. A ira é <u>irrupção</u> da violência que deve ser detida, a fim de que o desequilíbrio não desgoverne as horas. Assim, a conquista do bem dá ao homem o vigor para vencer todos os embates e superar todas as situações penosas. Como, porém, o bem somente se manifesta através da ação da caridade, em serviço de socorro, a todos cumpre transformar as compulsões prejudiciais em impositivos de amor, a fim de que tenham os dias prolongados na Terra e possam fruir as bênçãos do Céu. O homem vale pelas conquistas que realiza

dentro de si mesmo, superando e sublimando as mazelas, ação esta que lhe propicia ventura interior e paz prolongada...

A mulher ouviu, meditou e, quando retornou ao lar, havia-se transformado.

A partir de então, entregando-se à caridade fraternal e ao amor desinteressado, deixou, por onde seus pés transitaram, marcas de luz como estrelas indicando rumo, a traduzir que, por ali, havia passado um anjo da fé, seguindo ao Infinito do Bem.

22

...FORTALECE OS TEUS IRMÃOS

Apesar de ainda a Luz encontrar-se no mundo, já anoitecia nas consciências...
As sombras se adensavam e as vozes <u>lúgubres</u> recitavam a <u>litania</u> da paixão com todo o seu cortejo de dores e de angústias.

Na memória ficariam os dias festivos de esperança e de ingenuidade, quando as almas simples entoavam as baladas gentis da fraternidade.

A querida Galileia <u>quedara</u> para trás, emoldurada pela vegetação colorida que lhe caracterizava a exuberância semelhante às suas gentes espontâneas e puras, acostumadas à grandeza da simplicidade dos próprios corações.

A aridez da Judeia, de certo modo, ressequira os sentimentos daqueles que a habitavam e, porque fosse Jerusalém a capital, ali se alojavam, ao lado do dominador, a ambição abraçada à astúcia, a inveja guiada pela intriga e o despeito nas mãos da delinquência...

A ceia pascal iniciava a era da saudade, encerrando os dias de preparação...

Fechava-se o ciclo da oferta para abrir-se o período dos sacrifícios.

Sorrisos substituídos por lágrimas que prepamiam as bases do edifício da paz, quando outros júbilos chegariam, então, sem fim.

Até esse momento, porém, as trevas dominariam com breves interregnos de claridade.

Ele estava preparado, pois que para tal viera.

Ao ramo verde ateariam fogo, em vã tentativa de destruí-lo. Que se não faria à vara seca, ao galho desvitalizado pendente na árvore da vida?

No ar ameno da ceia pairavam ansiedades.

As instruções prenunciavam despedidas. Cada minuto era de importância vital, fazendo-se necessário sorvê-lo pelo conduto da mente no rumo do coração.

Evocava-se a festa judaica; preparava-se o sacrifício futuro.

Já uma saudade não definida emocionava os sentimentos.

Cada discípulo presente era uma coluna do edifício do porvir, no qual o amor albergaria a Humanidade.

Quais aqueles que suportariam o peso da construção?

A fragilidade humana é *barro* que deve ser *cozido* nos altos *fornos* do sofrimento, a fim de adquirir consistência, inteireza. Todavia, quem estaria disposto a deixar-se transformar? Todos eram candidatos, mas, quais se permitiam eleger?

Na pausa natural, quando as emoções ainda sorriam em clima de ansiedade, Jesus informou:

— Simão, Simão, olha que Satanás te reclamou para te joeirar como o trigo. Mas eu roguei por ti, a fim de que a tua fé não desfaleça... E tu, uma vez convertido, fortalece os teus irmãos.[10]

O amor intercedera ante a tentação, sustentando o amigo fraco e tímido.

O futuro antecipava-se ao presente, estabelecendo balizas de comportamento. Poderia ser evitado; deveria ser vivido.

Surpreendido pela advertência sincera e oportuna do Benfeitor, o amigo retrucou, despercebido daquilo que enunciava:

— Senhor, Senhor, estou pronto para ir contigo até para a prisão e para a morte.

Honestamente, num momento, alguém daria a vida por outrem, a sua pela liberdade do seu amigo. Já, não, porém, noutro momento, num diferente estado emocional.

Não é covardia, nem indiferença.

São as circunstâncias. É todo o passado existencial assomando, reagindo pela evasão ou agindo na imolação.

O Mestre mergulhou os seus nos olhos do discípulo emocionado e vaticinou, melancólico:

— Digo-te, Pedro, o galo não cantará hoje sem que, por três vezes, tenhas negado conhecer-me.

Quanto Ele conhecia os amigos!

Identificava-lhes a fraqueza, mas não os amava menos.

No mesmo tom prosseguiu, indagando e instruindo-os, preparando-os para as horas próximas.

O que sucedeu, deveria acontecer.

---

10. Lucas, 22: 31 a 34 (nota da autora espiritual).

Seriam necessárias a Sua prisão e morte, mas não indispensáveis a traição, a negação, o abandono de quase todos.

Todavia, após a grande Treva, surgiu a madrugada da Ressurreição, o triunfo perene do *dia* sobre a *noite*.

Sem a *morte* não teria surgido a *vida*.

Sem o adubo <u>fenecem</u> as flores antes da frutescência.

O sangue e o sacrifício inundaram o solo, a fim de que germinasse e crescesse a árvore da esperança.

Antes, no entanto, Pedro, colhido por conhecidos, quando apontado, reagiu dizendo:
— *Não O conheço, mulher...*
— *Homem, não sou...*
— *Homem, não sei o que dizes...*
...E o galo cantou!

O Mestre, manietado e sob dilacerações, fixou os Seus nos olhos do discípulo, sem censura, sem mágoa...

Dando-se conta, caindo em si, o companheiro aturdido chorou copioso pranto.

Ficava-lhe a frase-consolação: — *E tu, uma vez convertido, fortalece os teus irmãos!*

A noite densa reservava aos aflitos novas defecções e fugas.

As dores, em crescendo inesperado, alucinavam, e o medo, em desarticulação emocional, ensombrava as almas.

O galopar do desespero é mais <u>infrene</u> que o dos corcéis em disparada nos largos prados, a tudo destroçando e vencendo...

Não mais deveria repetir-se, daquela maneira, noutra, a noite sinistra.

Viriam dias e noites de angústia prenunciadora de felicidade, nos longes do amanhã, quando eles fossem chamados, a fim de, com o exemplo, *fortalecerem os seus irmãos*.
Pedro se fez digno do legado que lhe foi destinado.
Fortaleceu os irmãos, conduziu-os, doou-se em holocausto...

🙞

Prossegue-se ainda negando-O, apesar de O citar--se, aparentando-Lhe fidelidade.
Nega-se pelas palavras, pela conduta, pela ação, Aquele que a todos espera e ama.
Enquanto o egoísmo predomina e as ambições desgovernam os homens, permanece o apelo final para que os Seus seguidores fortaleçam os irmãos desfalecentes e caídos.
No tumulto das paixões e na diversidade dos interesses que distraem, tombam incontáveis lutadores que não suportaram as pressões da própria fragilidade, correndo riscos mais graves...
Necessitam que se lhes fortaleçam o ânimo e a fé.
Cansados, na soledade dorida, ou <u>exauridos</u> pelos demorados testemunhos, desfalecem corações devotados, a um passo da queda <u>abissal</u>...
Aguardam que se lhes fortaleçam o amor e a confiança no bem.
Nunca faltará, nessa <u>ingente</u> batalha, quem, arrependido, venha, jubiloso e devotado, fortalecer os irmãos.
O apelo do Mestre continua vibrante.
Como é verdade que há muita negação e fuga, não menor é a verdade que demonstra a reabilitação e o recomeço dos que amam e creem, dispostos a fortalecer os seus irmãos e, se necessário, em silêncio consumir-se na renúncia, dando-lhe a vida, para que eles tenham vida.

23

O ANJO DA MISERICÓRDIA

Na tarde trágica e tormentosa do Calvário, quando Jesus se encontrava <u>estiolado</u> pelas ulcerações dos cravos e dos espinhos implantados nas Suas carnes, ocorreu um inesperado acontecimento, que as testemunhas do <u>lutuoso</u> fato não puderam perceber por transcorrer além das fronteiras objetivas da matéria.

As vozes <u>ululantes</u> da Natureza dominavam a paisagem lúgubre, e os homens, atormentados, pareciam vencidos pelas cruéis expressões do primitivismo animal, em total alucinação diante do Justo crucificado...

Nos momentos finais do horrendo espetáculo, três vultos luminosos, reverentes, acercaram-se do madeiro de agonia, e, um deles, jovem mulher iluminada, qual se fosse uma tocha de crepitante flama, após contemplar a face do Mestre, falou, comovida:

— Senhor, venho oferecer-Te o testemunho do meu fracasso na tarefa em que fui investida.

Segui-Te os passos por toda parte e procurei guarida nos corações que foram atraídos pela Tua palavra consoladora.

Levantei ânimos, impulsionei sentimentos <u>desavisados</u> à razão e convoquei servidores ao trabalho da fraternidade...

Não obstante, estive contigo no momento da <u>defecção</u> de Simão Pedro, quando Te negou conhecer, o que fez por três vezes consecutivas, expulsando-me dos seus sentimentos, nos quais estive agasalhada por largos meses.

Desiludida dos homens, venho rogar-Te licença para seguir, ao Teu lado, na direção dos Cimos Esplendorosos da Vida.

Tu sabes, eu sou a Fé!...

O Mestre, em agonia, fitou-a <u>compungido</u> e, sem dizer qualquer palavra, através da cortina de lágrimas sanguinolentas que Lhe nublavam a claridade visual, olhou a segunda personagem, que também mais se acercou do instrumento da arbitrária punição e elucidou:

— Vivi todas as Tuas instruções e procurei remodelar os campos moral e emocional dos homens que Te seguiram.

Vi muitos deles que estavam à borda do desespero e da loucura, mas, graças à Tua palavra de libertação, fi-los esperar por melhores dias, confiando nos retos deveres, em favor de perspectivas futuras abençoadas.

Daqueles outros que se lamentavam sob o luto da saudade e o peso das agonias, consegui soerguer o ânimo e encorajá-los para a luta sem <u>quartel</u> do progresso.

Em todo lugar, encontrei oportunidade de serviço e de ação edificante, que soube aproveitar...

Apesar disso, estava seguindo Judas e tentando convocá-lo à lucidez, arrependido como se apresentava, após a infame traição... Percebendo-lhe os pensamentos infelizes e o desespero, envolvi-o em ternura, chamando-o à ordem, dizendo-lhe que sempre há oportunidade para quem deseja regenerar-se...

Ele, todavia, preferiu o enforcamento covarde numa figueira-brava... Ainda retenho na memória a visão do seu corpo oscilante na corda vigorosa e que ceifou a vida carnal...

Porque fracassei entre as criaturas, venho rogar-Te permissão para acompanhar-Te ao <u>sólio</u> do Altíssimo, abandonando a Terra...

Conforme Te recordas, eu sou a Esperança!

Jesus <u>estorcegou</u> nas traves grosseiras, enquanto a <u>mole</u> humana, infrene e enlouquecida, agitava-se no acume do ensombrado Morro da Caveira.

E porque Ele tentasse ouvir, já nas últimas contorções do corpo exangue, a terceira visitante uniu-se às duas primeiras e, ainda luminosa, expôs:

– Por onde o Teu olhar passeou ternura e amor, eu procurei alojamento e serviço.

Através das Tuas mãos, abri bocas sem melodia à música da palavra; descerrei ouvidos <u>moucos</u> aos sons da Natureza; conduzi pernas e corpos mortos ao movimento; tomei as doenças dominadoras e consegui mudá-las das pessoas que as padeciam...

Jamais vacilei em ajudar, gerando simpatia, sustentando a Fé e motivando a Esperança.

As multidões esfaimadas, por meu intermédio e sob as Tuas ordens, receberam pães e peixes, o mesmo ocorrendo com a água em Caná, quando eu lhe facultei especial sabor na festa das bodas felizes...

Mesmo assim, em face do abandono a que todos Te relegaram e porque acabo de presenciar o legionário Longinus, no cúmulo da frieza moral de que é portador e sem qualquer compaixão, lancetar-Te o peito para apressar-Te a morte, não suporto mais tanta ingratidão.

Recorro, deste modo, à Tua aquiescência para sair do mundo e voar na direção das estrelas, para onde seguirás...

Bem recordas, eu sou a Caridade!

Em face do silêncio pesado, que se fez natural, naquela esfera transcendental, o Mestre, para surpresa geral, na noite que havia tombado sobre a tarde cruel, suplicou:

— *Perdoa-os* (os homens), *meu Pai, porque eles não sabem o que fazem!*

Houve uma estranha movimentação no povo e nos milicianos, que não sabiam o que se passava.

Naquele instante, porém, rasgou-se nas sombras espessas uma estrada luminosa e um ser, de esplêndida beleza, aproximou-se do Crucificado, e, respeitoso, falou emocionado:

— *Eu sou o Anjo da Misericórdia, enviado pelo Pai, que Te atende o apelo.*

Dize, Senhor, o que desejas de mim, pois que eu o farei.

Com a voz inaudível para os ouvidos humanos, no entanto, inteligível para o emissário de Deus, Jesus determinou, comovido:

— *Fica no mundo, levando contigo a Fé, a Esperança e a Caridade, em meu nome, para que os homens, que me conheçam ou não, possam ter minoradas as suas dores e penas, evitando, quanto possível, as desventuras, sob o pálio do meu amor.*

Que permaneçam sem cansaço nem desânimo até a consumação dos séculos, como luzes acesas apontando rumos felizes!

Automaticamente, as três Entidades-virtudes abraçaram o Anjo da Misericórdia e partiram, para recolher, de início, o Espírito Judas, em perturbação, prosseguindo na direção de Pedro, a fim de que este não enlouquecesse de remorso, de imediato colocando nos olhos apagados de Longinus a claridade da visão...

Foi então que Jesus inteiriçou-se na cruz e bradou:

– *Pai, nas tuas mãos entrego o meu Espírito. Tudo está consumado!*

A partir daquela hora, quando as dores atingem o máximo de intensidade nos corações humanos; quando a <u>hidra</u> da guerra ceifa milhões de vidas indefesas; quando a amargura domina, esmagando os sentimentos; quando a vida parece sucumbir e todos os acontecimentos se apresentam com <u>funestas</u> perspectivas, o Anjo da Misericórdia envolve as criaturas, deixando aqui e ali, neste e naquele coração a chama da Fé que reanima, ou a pulsação da Esperança que renova e encoraja, ou as mãos sublimes da Caridade, que sustenta e liberta, em nome do amor infinito do Cristo, que não cessa jamais.

24

BARRABÁS, PILATOS E JESUS

A noite fria, de certo modo, representava o estado de alma enregelada daqueles acusadores atormentados.

Dominados pela ira infrene, decorrente da inveja sórdida, não trepidavam em cometer o terrível crime contra a vítima inocente.

Haviam-nO visto curar e distender as mãos misericordiosas em favor da miséria e do sofrimento sem conforto. A Sua havia sido uma vida pública inatacável. Nenhuma atitude Lhe contradizia as palavras assinaladas pela sabedoria e pelo amor.

Todo o Seu ministério fora realizado com base na justiça e na misericórdia. Os Seus momentos foram assinalados pela ternura e pela abnegação.

É certo que Ele não convivia com o crime a que estavam acostumados os "filhos de Israel" que, não obstante se rebelassem contra a arbitrária dominação romana, submetiam-se, <u>subservientes</u>, aos senhores, embora o ódio agasalhado contra César e os seus <u>sequazes</u>.

Jesus definira os rumos do Seu trabalho, estabelecendo, publicamente, que não se serve bem a dois senhores, pois que esta atitude <u>ambígua</u> deixa um deles em falta.

Por ser o Filho de Deus, mantinha a postura excelente, exteriorizada nos atos superiores de que dava mostras.

O julgamento absurdo que não dissimulava o rancor da indignidade contra a honradez levava ao cumprimento da Lei que estabelecera a necessidade de o Justo ser punido pelos *delitos* do amor e da perfeita doação.

Assim, o ódio farisaico desperta no povo ingrato a sede de sangue, e a <u>malta</u> bem trabalhada pelo verbo da revolta amotinou-se, exigindo-Lhe a morte infamante.

Passado pelas hábeis mãos do sacerdócio organizado, fora, agora, empurrado para o poder civil, a fim de que o representante do imperador ficasse responsável pela punição, carregando na consciência culpada a vida do Homem que viera mudar os rumos da História e da Humanidade.

Desta forma, a frieza da noite era semelhante à frialdade dos sentimentos <u>entorpecidos</u> e apaixonados, na cegueira da própria alucinação...

Pôncio Pilatos, <u>dúbio</u> e venal, sabia-O inocente.

Inquirira-O, repetidas vezes, submetendo-O ao jogo difícil das palavras, tentando encontrar-Lhe culpa, confundi-lO.

Transparente, porém, na Sua pureza ímpar, Ele respondera com nobreza, baseando-se no conteúdo das questões apresentadas, ou então silenciando...

Não tinha o de que defender-se.

Ali estava exposto pelos *Seus familiares*, os de Sua raça, e quase absolvido pelo poder gentio, dominador, que n'Ele não detectava crime.

Era o grande paradoxo. Israel O acusava e Roma O defendia.

Pilatos vezes várias tentou salvá-lO da <u>sanha</u> geral, pois que não Lhe encontrava delito algum, exceto o de ser portador da Verdade.

A verdade exige pesado ônus de quem a conduz, pois que, não compactuando com as licenças morais nem a delinquência dissimulada de legalidade, que passa disfarçada como direito de uns em detrimento de outros, faz-se detestada e perseguida.

Os vanguardeiros e porta-vozes da Verdade ainda pagam o tributo da coragem de vivê-la.

Jesus era a representação da Verdade no ambiente de ambições mentirosas e <u>vãs</u>, de ilusões enganadoras e insensatas.

Pilatos o sabia. Estava sempre cercado de bajuladores mesquinhos, acostumado aos <u>famanazes</u> da indignidade, que lhe recolhiam as migalhas do poder, que também não lhe pertencia, e, na sua transitoriedade, passava de mãos... Sabia não possuir amigos, e sim exploradores da situação.

Aquele Homem nada lhe pedia, nem mesmo se justificava ou aguardava qualquer compaixão.

Rei, não solicitava nem esperava consideração, por que o Seu não era o reino terrestre, pois que se encontrava além e acima das <u>vacuidades</u> humanas, que erigem e derrubam tronos em batalhas de sangue e de impiedade...

Vendo-O seviciado, numa tentativa de aplacar a sede dos perseguidores, não se pôde furtar por covardia moral ao atendimento da imposição que bradava: – *Morte! Crucifica-O!*

Fugindo à posição de legislador e homem de governo, temendo a turba que odiava, aquiesceu, perdendo a paz.

Ofereceu Barrabás, que também se chamava Jesus, e eles não aceitaram a troca. Este, segundo alguns, era revolucionário terrestre, enquanto o outro era-O celeste.

O bandido agradava a multidão e a conveniência dos poderosos de um dia. Este podia viver.

O outro, espiritual e celeste, abalava as estruturas da mentira e dos interesses mesquinhos. Ele deveria morrer.

Lavando as mãos, Pôncio Pilatos não limpou a consciência ultrajada, que permaneceria exigindo-lhe retificação de conduta.

Os anos se passaram...

Tibério César cedeu o seu lugar, vitimado em Anacapri, a outro temporário e iludido imperador, que foi Calígula...

Pilatos, caindo em desgraça, retornou a Roma e foi mandado para o exílio na Suíça.

A neurose de culpa ficou-lhe impressa na conduta atormentada.

O ato de lavar as mãos repetiu-se cruel, constante, em tentativa tormentosa de autoliberação.

O olhar do Inocente era, na sua lembrança, como duas estrelas de intensidade ímpar, penetrando-lhe os esconsos redutos da alma sofrida.

Desarmado de fé e corroído pelos remorsos incessantes, com o sangue nas mãos, da vítima que representava todas as vítimas que lhe sofreram a injunção criminosa, que se avolumava, e sem valor moral para a reabilitação através do bem, atirou-se, inerme, infeliz, na cratera profunda de um vulcão extinto, fugindo da vida física para adentrar-se na *Vida* onde a Verdade estua perene.

O sonho da esposa, naquela noite terrível e fria, cumprira-se.

Ela o advertira: – *Este homem, durante toda a noite, fez-me sofrer em sonho. Não te envolvas com Ele.*

Em todos os tempos, os Pilatos do mundo requintado e torpe lavam as mãos a respeito dos destinos dos Cristos-amor, perseguidos pelos dominadores dominados pelas quimeras.

O amor, porém, sobrenada no mar dos ultores comportamentos apaixonados.

São eles que repetem o código soberano das bem-aventuranças, abrindo espaços para os que anelam por um mundo melhor e mais feliz, edificando o Reino de Deus no país das almas.

Barrabás, Pilatos ou Jesus – eis o desafio de ontem e de hoje.

No passado, os adversários de Jesus preferiram Barrabás – Filho de Pai – e Pilatos, na representação da suprema covardia moral. Estes, no entanto, passaram, a morte os recolheu...

Quem, no entanto, elegeu Jesus vive na memória do bem e desfruta felicidades, embora a vida os tenha chamado...

Os primeiros, Barrabás e Pilatos, são símbolos de execração, enquanto Jesus permanece como o ideal de dignificação e engrandecimento do homem e da sociedade, amado e aguardado.

25

PRISÃO E LIBERDADE

Mal apagadas as chamas que devoraram a cidade, ainda fumegante o imenso <u>rescaldo</u> de Roma <u>estupefacta</u>, e já se mobilizavam os <u>sicários</u> que perpetraram o crime, na busca dos *responsáveis* pelo incêndio da capital do Império.

Não seria a primeira vez que vítimas inermes responderiam pelo erro dos poderosos, sem direito a defesa.

Agora, porém, o <u>populacho</u> e a aristocracia exigiam reparação pelos danos sofridos, os imensos prejuízos experimentados.

As famílias ao desabrigo, a fome e as enfermidades rondando os milhares de flagelados <u>espicaçavam-lhes</u> a ira contra o imperador e seus <u>áulicos</u>, sob a segura suspeição da autoria da lamentável tragédia.

As promessas de reconstrução de uma cidade, mais bela e feliz do que a carbonizada, não acalmavam as angústias nem as fúrias dos prejudicados e desditosos.

A uma só voz, todos desejavam reparação pública, uma desforra.

Nesse clima de ódios, entre ansiedades e medos, Nero, inspirado pelos correligionários da alucinação desmedida, lembrou-se dos cristãos.

Tolerados pela Lex Romana, como praticamente todos os que cultuavam seus deuses e religiões trazidos para o Império na razão em que ele estendia os seus territórios e de certo modo confundidos com o Judaísmo, que gozava do privilégio de "religião nacional", os seguidores de Jesus foram colhidos pela armadilha da impiedade quando o imperador declarou que não era "lícito ser cristão", iniciando as rudes e dilaceradoras perseguições a partir daquele tormentoso ano de 64.

A carnificina sistemática se alongaria por 249 anos, com intermitências de tolerância e recrudescimento, até o dia 13 de junho de 313, quando Constantino firmou o Édito de Milão, liberando os descendentes de Jesus da *ilicitude* de praticarem o seu culto e de viverem fiéis aos postulados abraçados.

Não obstante as ásperas provações de que se viam objeto, jamais se deixaram, os discípulos do *Amor não amado*, atemorizar.

Quanto mais se faziam cruas e perversas as técnicas de expurgo e destruição das suas vidas físicas, mais eles se multiplicavam, dando os comoventes e formosos testemunhos coletivos de martírio, de que a História tem notícia...

Ameaçados da perda da liberdade de movimentos, eles se deixavam prender e consumir sem qualquer resistência física, fiéis aos ditames da fé que os iluminava e da esperança que os fortalecia.

Liberdade maldita – referiam-se àquela que lhes facultava viver na Terra após a atitude de apostasia, negando Cristo para se submeterem aos ídolos que constituíam um dos pilares transitórios da civilização pagã na qual viviam. A verdadeira liberdade consideravam ser aquela que lhes permitia crer e agir mesmo sob pressão e diante das mais torpes maquinações engendradas pela truculência humana.

Cárceres abarrotados, sem luz, sem alimento ou higiene mínima, nos quais os cadáveres se decompunham; ferro em brasa e suplícios de longo curso; cruzes e esquartejamentos sistemáticos; lâminas cortantes a retalhar-lhes as carnes; abjeções hediondas a que eram, pela força, submetidos; feras esfaimadas e gladiadores selvagens ávidos de glórias e bajulações que os estraçalhavam; labaredas em postes untados de breu iluminando as noites; archotes vivos em que se transformavam; perseguição à família, com banimento e humilhação, jamais lhes quebrantavam o ânimo.

Recordavam o ensino do Mestre, que lhes houvera anunciado: – *No mundo, somente tereis aflições* – ao mesmo tempo d'Ele evocando a vitória sobre o mundo.

Mimetizados pela presença de Jesus, eram fortes, embora a fraqueza; faziam-se estoicos, apesar da debilidade nas resistências individuais; tornavam-se ditosos, não obstante os receios, legando o mais precioso tesouro de fé de que se tem notícia.

Crianças e anciãos, homens e mulheres transfiguravam-se sob o testemunho, atormentando os verdugos que se revoltavam ante a pacificação e a coragem de que davam provas.

Ameaças cada vez mais dramáticas e campeonatos de brutalidade não lhes diminuíam a robustez da fé.

Propostas de <u>contemporização</u>, promessas de absolvição e convites rendosos a que renunciassem ao Mestre não os sensibilizavam. Pelo contrário, mais os estimulavam, ao constatarem a fraqueza do opressor, que dominava por um pouco, mas que não seria poupado pela vida à <u>inexorável</u> jornada da morte inglória e desventurada...

Parecia tão pouco negarem Jesus com os lábios e continuarem a segui-lO com o coração, poupando a vida, mas para eles isto representava indignidade e <u>delação</u>, porquanto a liberdade real decorria do valor de perseverarem livres interiormente, embora a prisão física e a injunção governamental que lhes prometia punição...

Orígenes, futuro pai da Igreja nascente, jovem, animava o genitor no cárcere, por carta, para que não se preocupasse com a família e prosseguisse fiel à consciência até o fim.

Era a glória do martírio impresso nos painéis da alma, aguardando somente a oportunidade de vivê-lo.

Eles sabiam que a adesão ao Cristo era também cárcere e morte, com o que se <u>rejubilavam</u>.

Prisão significava-lhes a consciência <u>apóstata</u>, o compromisso com os erros, o apoio à legislação arbitrária, a vinculação com o crime, enquanto liberdade era o estado de total ação íntima sem barreira nem limite, apesar dos calabouços onde eram jogados e das celas imundas a que eram relegados, enquanto aguardavam a hora do martírio feliz...

Policarpo, com 86 anos, convidado pelo procônsul a abjurar, sob a condição da idade provecta e tentado pelas promessas de que não lhe exigiriam maior demonstração de culto aos deuses, teve a grandeza de reagir, dizendo: – *Há 86 anos que O sirvo e não tenho de que me envergonhar. Não seria agora que iria deixar de fazê-lo.*

Ante as chamas das fogueiras que clareavam as noites romanas, mais brilhavam os círios divinos da esperança, nos céus da Metrópole pagã, anunciando o futuro...

Enquanto as carnes se faziam retalhadas por garras e tenazes de ferro e os corpos apodreciam, mais eles se afervoravam na sublime transformação interior.

Fizeram-se os heróis sem-nome da fé cristã, cujas vidas são o testemunho vivo da grandeza e do poder de Jesus, que permanece convidando-nos a segui-lO, apesar dos difíceis dias da atualidade.

Prisioneiros das paixões destruidoras enxameiam por toda parte, macerados e exauridos, transitando nos limitados espaços das dependências viciosas a que se ergastulam, enquanto, livres das algemas do crime e da conivência infeliz com o erro, os discípulos de Cristo, na fé renovada que os Imortais lhes trazem, deixam-se crucificar nas incompreensões, arder nas renúncias, rasgar-se nas provações, consumir-se nas tenazes dos testemunhos silenciosos, balbuciando, à hora da libertação, um canto de esperança:

– *Glória a Ti, que nos amas e por cujo amor estamos doando a vida!*

GLOSSÁRIO

A	
Abissal	Algo muito profundo, de grande profundidade.
Abjeção	Algo torpe, imundo, baixo, ignóbil.
Abjurar	Jurar contra (crença religiosa), renegar, retratar-se.
Abnegação	Desinteresse, renúncia, desprendimento, devotamento, sacrifício.
Abnegado	Que é dotado de renúncia, devotamento, sacrifício.
Abominável	Odioso, detestável, insuportável, execrável.
Acalentado	De acalentar – confortar, acariciar, mimar, manter.
Acepipes	Petiscos (figos, passas).
Acerbo	Duro, árduo, difícil.
Acintosamente	Ação praticada premeditadamente, de propósito, para desgostar alguém.
Acirrado	Incitado, provocado, estimulado.
Açulado	Atiçado, instigado, provocado.
Adereço	Adorno, atavio, enfeite, ornamento.
Adestrado	Treinado para alguma atividade, aquele que foi preparado, instruído, hábil.
Adiu	De adir – acrescentar, agregar, incorporar, adicionar.
Adredemente	Preparado com antecedência para determinado fim, previamente.
Adultério	Prática da infidelidade conjugal, relacionamento sexual extra conjugal.
Adustez	Calor excessivo, ardência, aridez.
Aduzir	Alegar, argumentar, expor.
Aferravam	De aferrar – agarrar, prender, segurar com força.
Ajaezado	Animal (cavalos, muares) com todos os seus arreios e enfeites.
Alarão	De alar – alçar voo, voar, exaltar, enaltecer.
Alastrava	De alastrar – espalhar, propagar, difundir, grassar.
Albergaria	De albergar – dar albergue, acolher, hospedar.
Aleivosa	Pessoa desleal, traidora, pérfida.

Alento	Hálito, coragem, ânimo, sustento.
Alforria	Libertação de qualquer domínio, ganhar liberdade, emancipação.
Algaravia	Confusão de vozes, linguagem confusa, incompreensível, tagarelice.
Algoz	(Do árabe *al-gozz*) – Carrasco, verdugo, pessoa cruel.
Aliciado	De aliciar – atrair, seduzir, incitar, instigar, subornar.
Almejando	De almejar – desejar ansiosamente, ambicionar, aspirar.
Altissonante	Sonoro, retumbante, ruidoso, magnificente.
Altruísmo	Abnegação, solidariedade, generosidade.
Alvíssaras	(Do árabe *al-basara* – boa-nova) – Boas notícias, exclamação de contentamento ou alegria, prêmio.
Âmago	Centro, essência, íntimo.
Amainado	De amainar – abrandar, acalmar, tranquilizar, cessar.
Ambíguo	Que tem mais de um sentido, incerto, duvidoso.
Ambiguidade	São palavras, frases ou situações que sugerem duplo sentido. Dubiedade de sentido.
Amealhara	De amealhar – economizar, poupar.
Ameno	Delicado, agradável.
Amesquinhado	De amesquinhar – tornar mesquinho, depreciar, abater, desdenhar.
Amesquinhante	Que torna mesquinho, depreciador.
Ancianidade	Idade avançada, velhice, antiguidade.
Anelar	Ato de querer, desejo, aspiração.
Anfractuosidade	Saliência, depressão, sinuosidade.
Anuência	Aprovação, aceitação, permissão, concordância.
Anuiu	De anuir – aprovar, aceitar, assentir, aderir.
Apazigua	De apaziguar – acalmar, serenar, pacificar, tranquilizar.
Apostasia	Renúncia a uma religião ou fé religiosa, abjuração.

Apóstata	Aquele que abandona ou renuncia à fé religiosa ou a sua crença.
Apraz	Causar prazer, agradar, deleitar, convir.
Aprestos	Preparo para a realização de alguma coisa. Equipamentos ou materiais necessários para fazer algo, petrechos.
Aquiescência	Ação de consentir, concordar, permitir.
Aquiesceu	De aquiescer – consentir, concordar, permitir.
Aragem	Vento brando, brisa, viração.
Arbitrário	Que depende só da vontade, injustificado, caprichoso, despótico.
Archote	Facho que se acende, tocha.
Argentária	Relativo à riqueza, acúmulo de moedas ou objetos de valor. Pessoa muito rica, milionária.
Aristocracia	Governo exercido pela nobreza. A própria classe dos nobres, elite.
Arrebatando	De arrebatar – provocar estado de grande alegria, extasiar, arrancar com violência.
Arrogante	Insolente, soberbo, orgulhoso, petulante.
Arrolou	De arrolar – relacionar, catalogar, recrutar.
Ascético	Relativo ao ascetismo, devoto, místico, contemplativo.
Assacando	De assacar – imputar ou atribuir.
Asselvaja	De asselvajar – tornar selvagem, brutalizar, embrutecer, animalizar.
Assertiva	Afirmação, argumento, alegação.
Astúcia	Manha, artimanha, ardil, malícia, esperteza.
Atavismo	Reaparecimento de uma característica no organismo, após várias gerações de ausência da mesma. Tradição familiar.
Átimo	Em curto espaço de tempo, instante, momento.
Atribulado	De atribular – causar atribulação a, afligir, angustiar, atormentar.
Aturdido	Atordoado, atônito, confuso, perturbado, perplexo.
Áulico	Cortesão, palaciano.

Aureolavam	De aureolar – coroar, elevar, glorificar.
Aurifulgente	Que brilha como ouro, reluzente, brilhante.
Azado	Propício, oportuno, conveniente.
Azáfama	Afã, trabalho muito ativo, pressa.

B

Bafio	Cheiro de mofo, bolor, fedor.
Bajula	De bajular – adular, lisonjear, paparicar.
Bajulação	Ato de bajular, adular, lisonjear.
Bajulador	Que bajula, adulador, chaleira, incensador.
Balbuciando	De balbuciar – gaguejar, murmurar, cochichar.
Baliza	Demarcação, separação, delimitação.
Balsâmico	Aromático, fragrante, perfumado, confortante.
Belicosidade	Natureza daquele que é belicoso, incitação à guerra. Qualidade de guerreiro, agressivo, combativo.
Beligerância	Ato de participar de guerras e conflitos.
Belzebu	(Do hebraico *ba'al zebuh*) – O príncipe dos demônios.
Blaterou	De blaterar – apregoar, reclamar, vociferar.
Bonina	Flor vistosa de cores variadas, como vermelha, rosa, amarela, branca, conhecida também como maravilha e jalapa.
Brusquidão	Qualidade do que é brusco, áspero, rude, ríspido.
Bruxuleante	Chama que oscila, brilhar fracamente, tremeluzir.
Bucólico	Relativo ao campo para descanso e paz na Natureza; rústico, ingênuo, singelo.

C

Cajado	Bastão, bordão, vara, bengala, haste. (Subjetivo) – Amparo, arrimo, esteio.
Calceta	Argola de ferro no tornozelo; prisioneiro; pena de trabalhos forçados; indivíduo condenado à calceta; grilheta.

Cálido	Quente, ardente, apaixonante.
Caos	Confusão, balbúrdia, desordem, anarquia.
Carpia	De carpir – ato de roçar o mato, capinar. Ato de chorar por um morto, lamento.
Catalepsia	Estado mórbido, ligado à hipnose ou à histeria, caracterizado por sono profundo, suspensão temporária de movimentos, presença de rigidez muscular, insensibilidade total e respiração superficial, quase imperceptível.
Cataléptico	Aquele que sofre de catalepsia – estado mórbido caracterizado por sono profundo com suspensão dos movimentos e rigidez muscular.
Ceifa	Ato de ceifar, sega, colher com foice, colheita.
Cercear	Cortar, suprimir, desfazer, destruir.
Cerne	Âmago, a parte mais íntima, essencial.
Chafurda	De chafurdar – atolar, afundar, perverter.
Circunlóquio	Figura de linguagem que consiste em um discurso demasiadamente extenso sobre um assunto, que poderia ser dito em poucas palavras. Rodeio, redundância, prolixidade.
Círio	Vela grande usada no cerimonial da páscoa.
Clímax	Momento de tensão máxima, auge, apogeu.
Coleante	Que se desloca como cobra, serpenteante, cheio de curvas.
Colóquio	Conversação entre duas ou mais pessoas.
Combalido	Caído, derrubado, cansado, enfraquecido.
Cometimento	Ato de cometer alguma coisa, acometimento, empreendimento.
Compungido	De compungir – sentir remorso, arrepender-se, afligir.
Concitando	De concitar – estimular, instigar, incitar.
Concupiscência	Desejo desenfreado, ambição, cobiça, pecado.
Conivência	Cumplicidade, conchavo, conspiração.
Conjuntura	Conjunto de determinados acontecimentos num dado momento, circunstância ou situação.
Conjurava	De conjurar – conspirar contra autoridade estabelecida, insurgir, instigar, suplicar.

Consumpção	Ato ou efeito de consumir, definhamento orgânico por doença crônica.
Contemporização	Ato de contemporizar, transigência, acomodação, condescendência.
Contributo	Aquilo com que se contribui, contribuição.
Contumazes	Que não descansam enquanto não conseguem o que querem, teimosos, obstinados, persistentes.
Correligionário	Aquele que é da mesma religião, partido, doutrina ou sistema adotado por outros.

D

Dardeja	De dardejar – lançar, emitir, desferir.
Deambulante	Andarilho, caminhante, viajante, errante.
Defecção	Abandono de crença, deserção, fuga, desaparecimento.
Deferimento	Concessão, consentimento, anuência.
Degrada	De degradar – tornar vil ou desprezível, desonrar, rebaixar, deprimir.
Delação	Ato de delatar ou denunciar, acusação, incriminação.
Delonga	Demora, atraso, adiamento.
Depauperaram	De depauperar – esgotar as forças de, debilitar-se, empobrecer, combalir.
Dermatose	Conjunto de doenças da pele causadas por fatores físicos, químicos ou biológicos.
Derredor	O que está ao redor, contorno, periferia, circuito.
Derrogar	Abolir ou alterar alguma lei ou costume, revogar, suprimir, extinguir.
Desabalada	Que foge precipitadamente, desmedida, destemida, apressada.
Desaire	(Desar) – Descrédito, desdouro, desgraça, mancha.
Desairosa	Deselegante, vergonhosa, indecorosa, inconveniente.
Desalento	Desânimo, abatimento, depressão.
Desassisado	Louco, desatinado, sem juízo.

Desataviado	Despido, sem adornos.
Desavisado	Que não foi avisado, desatento, desprevenido, imprudente.
Desbordar	Que vai além, transbordar, extravasar.
Desconcerto	Desordem, desarranjo, transtorno.
Desdém	Desprezo arrogante, grosseria, intolerância, orgulho.
Desdita	Infelicidade, desgraça, desventura.
Desditoso	Infeliz, desgraçado, desventurado.
Desforço	Vingança, desforra, vindita.
Desforra	Vingança, retaliação, represália.
Desvalimento	O mesmo que desvalido, desprotegido, abandonado, desamparado.
Detrimento	Em prejuízo de, dano, perda, agravo, estrago.
Diáfano	Transparente, translúcido.
Dilapidou	De dilapidar – desperdiçar, arruinar, esbanjar, dissipar.
Dirimiam	De dirimir – impedir de modo absoluto, anular, suprimir, decidir, resolver.
Discernimento	Faculdade de julgar as coisas clara e sensatamente, critério, tino, juízo.
Ditame	O que a consciência diz que deve ser, aviso, ordem, doutrina.
Dúbio	Duvidoso, incerto, ambíguo, vago.
Dulcificava	De dulcificar – tornar doce e agradável, abrandar, amenizar.

E

Embargado	Reprimido, contido, tolhido.
Empanasse	De empanar – tirar o brilho, obscurecer, encobrir, esconder.
Empatia	Capacidade de compreender o outro, identificação, afinidade, sintonia.
Empós	Após de, depois de, em busca de.

Encaneci	De encanecer – embranquecer aos poucos (cabelo e barba).
Enclausura	De enclausurar – aprisionar, encarcerar, confinar, subjugar, limitar.
Encômio	Louvor, elogio, aplauso, apologia.
Endemoninhado	(Endemoniado) – Possuído pelo demônio, encapetado, danado, possesso, obsidiado.
Engalfinhar-se	De engalfinhar – atracar-se em luta corporal, brigar, lutar, agarrar.
Engendrado	De engendrar – gerar, produzir, imaginar, formar.
Ensandece	De ensandecer – enlouquecer, alienar, dementar, desvairar.
Ensejo	Ocasião oportuna, propícia. Lance, conjuntura.
Ensementar	O mesmo que semear, espalhar, fomentar, estimular, propagar.
Ensimesmava	De ensimesmar – meter-se consigo mesmo, concentrar-se, absorver-se.
Entorpecido	De entorpecer – causar torpor, enfraquecer, debilitar.
Envergavam	De envergar – vestir, trajar, arquear, curvar.
Enxerga	Colchão rústico, cama pobre, catre.
Épico	Acontecimento histórico grandioso, retumbante, fantástico, extraordinário.
Ergastulam	De ergastular – encarcerar, aprisionar.
Esbordoado	De esbordoar – dar bordoadas, espancar, surrar, bater.
Escarnecem	De escarnecer – falar mal de, zombar, insultar, criticar.
Escárnio	Menosprezo, desprezo, desdém, zombaria.
Escarpado	Difícil de subir, íngreme, abrupto, árduo.
Escassez	Qualidade de escasso, falta, míngua, carência, privação.
Escatológica	Referente a escatologia – parte da teologia e filosofia que trata dos destinos finais do gênero humano, fim do mundo.
Esconso	Lugar escondido, oculto, esconderijo.

Escuso	Desonesto, ilícito, imoral, indigno.
Esfacela	De esfacelar – fazer em pedaços, arruinar, destruir.
Esfaimado	Faminto, esfomeado, insaciável, voraz.
Esgrimisse	De esgrimir – manejar armas brancas, discutir, argumentar com alguém.
Esmaecia	De esmaecer – perder o vigor, enfraquecer, esmorecer.
Esparzia	De esparzir (ou espargir) – espalhar, irradiar, disseminar.
Espicaçavam	De espicaçar – humilhar, tripudiar, desdenhar, menosprezar.
Espoliado	Privado, despojado, roubado.
Espúrio	Não genuíno, suposto, hipotético, ilegítimo.
Estatuem	De estatuir – regulamentar por estatutos, determinar, instituir, decretar.
Estepe	Planície coberta por ervas, caracterizada por solo negro e fértil, localizada principalmente na Ásia. Corresponde às pradarias da América do Norte e aos Pampas da América do Sul.
Estesia	Habilidade para entender sentimentos, sensibilidade ao belo.
Estiolado	De estiolar – definhar, debilitar, enfraquecer.
Estoico	Austero, rígido, impassível ante a dor e a adversidade, valoroso, resignado, tolerante.
Estorcegou	De estorcegar – ato de torcer com força, torcer-se de dor física ou moral, contorcer-se.
Estua	De estuar – que vibra, que se aquece, pulsar, arder.
Estupefacto	(Estupefato) – Irritado, admirado, perplexo.
Evade	De evadir – escapar de, fugir, evitar, desviar.
Evasão	Fuga, escape, saída, subterfúgio.
Evos	Duração sem fim, longo período de tempo.
Exarado	Gravado, redigido, registrado.
Exaurido	Cansado, exausto, esgotado.
Excentricidade	Que se difere do padrão, exotismo, extravagância, disparate.

Excogitação	Exame, averiguação, investigação, reflexão.
Execração	Abominação, aversão, maldição.
Execrando	Detestável, abominável, amaldiçoado.
Exegeta	Pessoa que se dedica a interpretação minuciosa de um texto bíblico, jurídico ou literário.
Exitoso	Bem-sucedido, que teve êxito, notório, venturoso.
Exorbita	De exorbitar – exceder os limites, abusar da autoridade, se exaltar.
Expurgo	Eliminar o que é prejudicial, extirpar, limpar, sanear.
Exsudando	De exsudar – sair em gotas, gotejar.
Extrapola	De extrapolar – ultrapassar os limites, exceder, superar.
Extremado	O que leva ao extremo, dedicado, esmerado, notável.
Exulceração	Ferimento, úlcera, dor, aflição, amargura.
Exultava	De exultar – sentir grande alegria, regozijar, entusiasmar, triunfar.

F

Facção	Partidários de uma mesma causa, grupo, turma, bando.
Facécia	Brincadeira, divertimento, chacota, gracejo.
Fácies	Aspecto geral do rosto que assume características próprias de determinadas doenças. Face, aparência, aspecto, feição.
Faina	Atividade da tripulação de navio, lida, azáfama.
Famanaz	Célebre, afamado, prepotente, famigerado.
Famélico	Que passa fome, faminto, esfomeado.
Fariseus	(De *parush* – separar) – Seita judaica da época de Jesus. Defensores ferrenhos da lei mosaica, não se misturavam com os demais judeus. Afetavam, de maneira hipócrita, grande piedade e santidade.
Fastígio	Ponto mais elevado, posição eminente, apogeu, auge.
Fatuidade	Vaidade, presunção, asneira, tolice.

Faustoso	Suntuoso, luxuoso, formoso, magnificente.
Fenecer	Extinguir-se, falecer, murchar, consumar.
Florilégios	Antologia, coletânea de textos ou de flores (sem florilégios – sem aprofundamentos ou complexidades, sem ideias rebuscadas, sem maiores pretensões).
Fomentador	Aquele que desenvolve, incentiva, estimula.
Fomentar	Desenvolver, incentivar, estimular.
Fulgirá	De fulgir – que torna brilhante, cintilar, iluminar, sobressair, favorecer.
Funesto	Fatal, letal, nocivo, prejudicial.
Furibundo	Irado, colérico, enfurecido.

G

Guindado	De guindar – elevar, suspender, exaltar.

H

Hasta	Leilão, pregão, arrematação.
Haurirem	De haurir – beber, sorver, aspirar, esgotar, consumir.
Hedionda	Que provoca repulsão, horrível, horrorosa, repugnante.
Hediondez	Que imprime repulsa e horror, horrível, repulsivo, repugnante.
Hidra	Monstro (Hidra de Lerna – serpente de sete cabeças na mitologia grega), ameaça à ordem social, fato que envolve perigo público.
Histrião	Termo usado na Roma antiga para designar um ator cômico. Palhaço, bobo, brincalhão.
Holocausto	(Do grego *holókaustos*) – "Sacrifício em que a vítima era queimada inteira"; sacrifício, execução em massa.
Hosana	Louvor, aclamação, hino religioso.

I

Ilicitude	Qualidade de ilícito, proibido, ilegítimo, contrário à moral ou ao direito.
Imanência	Qualidade do que está em si mesmo, intrínseco, inerente, integrante, essencial.
Imo	O lugar mais profundo, centro, íntimo, âmago.
Imolação	Ato ou efeito de imolar, sacrifício, holocausto.
Ímpar	Que não tem igual, único, incomum.
Impregnar	Unir de forma profunda, penetrar, embeber.
Incauto	Imprudente, sem cautela, ingênuo.
Inclemência	Que não tem clemência, dureza, desumanidade, aspereza, impiedade.
Inclemente	Desumano, áspero, impiedoso.
Incógnita	O que não é conhecido, enigma, segredo.
Indelevelmente	Que não se pode apagar, indestrutivelmente, permanentemente.
Indene	Que não sofreu dano, ileso, incólume, intacto.
Inditoso	Desafortunado, desgraçado, desventurado.
Indolência	Preguiça, apatia, desânimo, ociosidade.
Inefável	Que não se pode exprimir por palavras, indizível, inexprimível, admirável.
Inerme	Sem defesa, desarmado, moribundo.
Inescrupuloso	Indivíduo sem escrúpulos, desonesto, imoral.
Inexcedível	Que não pode ser excedido, insuperável.
Inexorável	Algo inevitável, imutável, inflexível.
Infamante	Que torna infame, desonrado, aviltante, ultrajante, ignominioso.
Infâmia	Perda da boa fama, desonra, degradação, baixeza.
Infausta	Que é infeliz ou desgraçada, desafortunada, desditosa.
Infortúnio	Infelicidade, desgraça, desventura.
Infrene	Desenfreado, descontrolado, desordenado.
Infundado	Sem fundamento, sem sentido, improcedente.

Infundia	De infundir – inspirar, incutir, insinuar, inserir.
Ingente	Enorme, desmedido, estrondoso.
Iníqua	Injusta, malvada, perversa.
Iniquidade	Falta de equidade, de justiça, injustiça, perversidade.
Injunção	Imposição, coação, determinação.
Inobstante	Não obstante, malgrado, apesar de, embora.
Inócuo	Que não causa dano nem benefício, inútil, inofensivo.
Insânia	Loucura, demência, falta de juízo.
Insculpir	Gravar, entalhar, marcar.
Insólito	Anormal, incomum, extraordinário.
Instou	De instar – pedir, solicitar.
Interregno	Espaço de tempo compreendido entre dois fatos, intervalo.
Intricado	(Intrincado) – Enredado, emaranhado, obscuro, confuso.
Inumado	Pôr em cova, enterrar, sepultar.
Inusitado	Não usual, incomum, estranho.
Invectiva	Palavra injuriosa contra algo ou alguém.
Iridescente	Que reflete as cores do arco-íris, furta-cor.
Irrestrito	Que não tem restrição, amplo, ilimitado.
Irrupção	Entrada brusca, invasão, transbordamento, eclosão.

J	
Jactância	Vaidade, ostentação, arrogância, orgulho.
Jactava	De jactar – vangloriar, orgulhar, ostentar, envaidecer.
Joeirar	Preparar o campo para ensementação, escolher, selecionar, transformar-se.
Júbilo	Alegria ruidosa, grande contentamento, satisfação, regozijo.

Jugo	Submissão pela violência, sujeição, opressão, servidão.
Juguladora	Dominadora, subjugadora, debeladora.
Junge	De jungir – emparelhar, juntar, atar, unir.
Junquilho	Planta originária da África, também conhecida como frésia, exibe cachos de flores de cor branca e amarela de agradável perfume.
Jus	Direito, merecimento, confirmação.

L

Laivo	Vestígio, vislumbre, mácula, estigma.
Lânguido	Fraco, mole, abatido, debilitado.
Lapidação	Antiga pena de morte por apedrejamento. Preparação de pedras preciosas. Educação, aperfeiçoamento.
Lauta	Farta, abundante. Luxuosa, suntuosa.
Leniam	De lenir – abrandar, suavizar, aplacar, mitigar.
Lenitivo	Calmante, próprio para lenir, abrandar, suavizar, aplacar, acalmar.
Leviandade	Irresponsabilidade, imprudência, insensatez, irreflexão.
Libertino	Imoral, depravado, devasso, crápula.
Licença	Relativo à licenciosidade, desregramento, sensualidade, libertinagem.
Lícito	Permitido, possível, exequível, admissível.
Limiar	Começo de, início, entrada, portal, umbral.
Lisonja	Bajulação, adulação, agrado, carinho.
Litania	Oração, súplica, ladainha.
Locupletava	De locupletar – tornar(-se) cheio; cumular, encher(-se); abarrotar(-se).
Logica	De logicar – discorrer com lógica, raciocinar.
Lograva	De lograr – conseguir, atingir, alcançar.
Logro	Engano, engodo, embuste, ardil.
Louçã	Que tem muita beleza, elegância, garbo.

Louros	Triunfos, glórias, láureas.
Luarizadora	Que ilumina como o luar, clareadora.
Luarizar	Dar o tom do luar, pratear, iluminar, brilhar.
Lucilar	Brilhar fracamente, luzir, cintilar.
Lúgubre	Soturno, lamentoso, triste.
Lupanar	Local onde se praticava a prostituição na Grécia. Prostíbulo, bordel.
Lutuoso	Coberto de luto, lúgubre, triste, fúnebre.
Luxuriante	Algo que é exuberante, abundante, opulento.
Luzia	De luzir – emitir luz, irradiar claridade, brilhar.

M	
Macerado	Mortificado, abatido, aflito, angustiado.
Maceradores	Que machucam, ferem, danificam.
Maceraram	De macerar – machucar, danificar, esmagar, amolecer.
Malbaratado	Desperdiçado, dissipado, esbanjado.
Maledicência	Qualidade de maldizente, que fala mal dos outros, difamação.
Malquerença	Inimizade, aversão, maldade, animosidade.
Malta	Bando, corja, grupo de pessoas de má índole.
Maquinação	Intriga, tramoia, conspiração, combinação.
Margem	(Dar margem a) – Dar ensejo a, possibilitar algo.
Masmorra	Prisão subterrânea, calabouço, cárcere.
Melifluidade	Qualidade de insinuante, mentiroso, duvidoso.
Mesquinharia	Pequenez, usura, avareza, desdita.
Mesquinhez	Avareza, apego, egoísmo, miséria.
Mesquinho	Pessoa agarrada a bens materiais, sovina, egoísta.
Miasmas	Emanações fétidas e tóxicas, como dos pântanos, que se acreditava fossem causa de doenças. Impurezas, emanações mentais deletérias.

Mimetizado	De mimetizar – adotar formas que se assemelham ao outro; adoção de valores que elevam espiritualmente o ser.
Minadouro	Nascente de mina ou riacho, local de onde verte a água da mina; vertedouro.
Mister	Ofício, propósito, necessidade, finalidade.
Mito	Representação fantasiosa da mente humana, superstição, lenda, alegoria.
Mole	Grande massa informe, grande volume (mole humana, multidão).
Mórbido	Relativo a doença, doentio. Coisa soturna ou assustadora, fúnebre.
Morbidez	Qualidade de ser mórbido, doentio, soturno, fúnebre.
Morigerado	De bons costumes ou vida exemplar, educado.
Mortalha	Manto que envolve o cadáver a ser sepultado, sudário.
Mouco	Que não ouve, que não escuta bem, surdo.

N

Nababo	Pessoa muito rica que vive cercada de luxo.
Negligência	Falta de cuidado, descaso, desleixo, desatenção.
Nonadas	Ninharias, insignificâncias, bagatelas.

O

Obstante	Que obsta, que impede.
Olvidado	De olvidar – apagar da lembrança ou da memória, esquecer, suprimir, desprezar.
Onomatopeia	Palavra que imita o som natural da coisa significada, imita sons da natureza (ex.: cocorocó).
Oprimido	Pessoa dominada por situações diversas, perseguido, agoniado, acabrunhado.
Opta	De optar – escolher, decidir, deliberar.
Opulento	Rico, abastado, abundante, exuberante.

Ortodoxia	De ortodoxo – do grego *orthós* (reto) e *dóxa* (opinião) – crença correta, conformidade com os princípios de uma doutrina qualquer.
Ócio	Não fazer nada, tempo livre, preguiça, vadiagem.
Oscula	De oscular – ato de beijar.
Ostracismo	Na Grécia Antiga, banimento de um cidadão que representava risco à democracia. Isolamento, afastamento, banimento, exílio.

P

Palestina	Filístia ou Filisteia – terra dos filisteus de onde derivou o nome Palestina, já citado por Heródoto, historiador grego, em torno de 450 a.C. Os judeus não aceitaram esta denominação por terem sido inimigos ferrenhos dos filisteus na Antiguidade. Preferiram adotar os reinos de Israel e Judá.
Paradoxo	Contrassenso, incoerência, contradição, discordância.
Peregrina	Extraordinária, excepcional, bela, estranha.
Perene	Duradouro, inacabável, eterno.
Perenidade	Qualidade do que é perene, duradouro, inacabável, eterno.
Perfunctório	Superficial, efêmero, passageiro.
Perpetram	De perpetrar – levar a cabo alguma ação, cometer, praticar, realizar.
Plenitude	O que está completo, completude, totalidade, integridade, retidão.
Populacho	Multidão, povo, plebe, ralé.
Porfiarem	De porfiar – empenhar, teimar, insistir, obstinar-se.
Postergar	Ato de adiar, transferir, protelar.
Precediam	De preceder – vir ou chegar antes de, existir antes de, anteceder, antecipar.
Precipitado	Apressado, açodado, arrebatado, imprudente.
Preliminar	Aquilo que ocorre antes, introdutório, antecedente, precedente.
Prepotente	Que abusa do poder, poderoso, autoritário, tirano.

Prescindir	Abrir mão de, não levar em conta, dispensar, desprezar.
Presunçoso	Pretensioso, arrogante, orgulhoso.
Primado	Primazia, prioridade, preferência, superioridade, excelência.
Primeva	Relativo aos primeiros tempos, primeiro, primordial, antigo, ancestral.
Probidade	Integridade de caráter, honradez, honestidade.
Profligar	Destruir, derrotar, abater.
Propele	De propelir – impelir para diante, arremessar, projetar, impulsionar.
Prosápia	Raça, linhagem, ascendência, progênie. Orgulho, ostentação, jactância.
Prosternando	De prosternar-se – atitude respeitosa perante algo ou alguém superior, reverenciar, humilhar-se, prostrar-se.
Provecto	Que tem idade avançada, ancião, competente, sábio, idôneo, distinto.
Publicano	Cobrador de impostos no império romano, aquele que obtém fortuna por meios ilícitos.
Pugnar	Lutar, combater, batalhar, discutir.
Pujança	Robustez, força, vigor, poderio, magnificência.
Putrescível	Ato de se tornar podre, putrefato. Apodrecido.

Q	
Quartel	(Sem quartel – sem trégua) – Descanso ou abrigo.
Quedara	De quedar – permanecer, restar.
Quimera	Sonho, fantasia, ilusão.

R	
Reatamento	Continuação de relacionamento interrompido, reconciliação, religação.
Rebuço	Disfarce, aparência, simulação, fingimento.
Recrudescimento	Reforçar intensamente, agravamento, exacerbação.

Redarguiu	De redarguir – responder, replicar argumentando.
Reduto	Recinto, lugar, refúgio.
Refolhos	A parte mais íntima da alma, aquilo que é secreto, oculto.
Refrega	Peleja, briga, luta.
Rejubilavam	De rejubilar-se – alegrar-se, congratular-se, encantar-se.
Renteando	De rentear – passar próximo a, roçar, aproximar-se.
Repletava	De repletar – ação de encher, abarrotar, preencher, completar.
Requerente	Que ou aquele que requer, pretendente, solicitante, suplicante, postulante.
Rescaldo	Operações de combate ao incêndio visando à sua extinção. Resultado de alguma coisa, saldo.
Ressarcimento	Ato ou efeito de ressarcir, indenização, reparação, compensação.
Ressentimento	Mágoa profunda de difícil esquecimento, despeito, ciúme, inveja, desgosto.
Ressumam	De ressumar – gotejar, verter, destilar, revelar, patentear.
Ressumbrar	Ressumar, transparecer, revelar, denotar.
Reticencioso	Que apresenta reservas, dissimulado, omisso.
Revel	Que não compareceu em juízo, rebelde, revoltoso, insurgente.
Ridente	Risonho, alegre, animado, festivo.
Ripostou	De ripostar – responder, replicar, retrucar.
Rol	Relação de pedidos ou produtos, lista.
Ruminando	Pensar muito em, remoer, refletir, pensar.
Rústica	O que é simples, sem acabamento, grosseiro.

S

Sanguissedento	Aquele que tem sede de sangue, sanguinário, torturador, vingador, cruel.
Sanha	Fúria, rancor, ódio, cólera.

Sectário	Aquele que pertence a uma seita, seguidor, partidário, separatista, fanático.
Sequazes	Que seguem ou acompanham, seguidores, partidários, integrantes do bando.
Selene	A Lua (Selene, a deusa da lua, era filha dos titãs Hipérios e Tea, e irmã da deusa Eos e do deus Hélios).
Sicário	(Sica – punhal romano) – Assassino pago, torturador.
Sicômoro	*Ficus sycomorus*, ou figueira-doida, espécie de figueira de raízes profundas e ramos fortes, que produz figos de qualidade inferior. Cultivada no Oriente Médio e África há milênios.
Sidéreo	(Sidérico) – Celestial, sideral, sublime, magnífico.
Sobranceria	Orgulho, arrogância, proeminência, superioridade.
Soledade	Lugar ermo, deserto, solidão, tristeza do abandono.
Sólio	Assento real, trono, cadeira pontifícia, o poder real.
Sopitar	Abrandar, acalmar, refrear.
Sortilégio	Que seduz com encantos especiais, feitiço, magia, encantamento, fascinação.
Subserviente	Que obedece às ordens com espírito de submissão, servil, submisso, obediente.

T	
Talante	Arbítrio, vontade, autoridade, sugestão, mando.
Talião	A Lei de Talião (do latim *Lex Talionis* (*lex*: lei, e *talio*, de *talis*: tal, idêntico) –, também dita Pena de Talião, consiste na rigorosa reciprocidade do crime e da pena, apropriadamente chamada retaliação. Esta lei é frequentemente expressa pela máxima "olho por olho, dente por dente".
Talit	(*Talit* de oração) – Acessório religioso judaico em forma de um xale, feito de seda, lã ou linho, usado no momento das orações.
Tenaz	Obstinado, perseverante, persistente, implacável, teimoso.
Tenazes	Tesoura de ferreiro para segurar ferro em brasa. Subj.: perfídias, traições, calúnias.
Tergiversar	Procurar rodeios, evasivas, usar de subterfúgios.

Títere	Governante que representa os interesses de outro mais forte, indivíduo que age somente a mando de outro, fantoche, testa de ferro.
Torpe	Infame, vil, abjeto, ignóbil, repugnante, obsceno.
Torpeza	Infâmia, abjeção, repugnância, obscenidade.
Tórrido	Muito quente, calor intenso, ardente.
Trato	Trato de terra, espaço de terreno, região.
Travam	De travar – travar contato com, estabelecer, empreender, iniciar, principiar.
Trêfego	Turbulento, irrequieto, travesso.
Trepidavam	De trepidar – vacilar, hesitar, titubear, tremer.
Trica	Intriga, trapaça, tramoia, traição.
Tripudiar	Levar vantagem sobre alguém, humilhar.
Tropismo	Reação de aproximação ou de afastamento de um organismo, em relação a um estímulo; atração, aproximação ("tropismo do amor").
Truculência	Uso de violência, crueldade, atrocidade, brutalidade.
Turquesa	Significa "pedra turca", mineral de cor azul-esverdeada.

U	
Ultor	Que ou aquele que vinga, vingador.
Ululante	De ulular – uivar, bradar, vociferar, gritar de aflição e dor.
Unção	Autoridade divina, consagração, sacralização.
Ungido	Unificação do homem com o espírito divino, escolhido, purificado.
Urde	De urdir – tramar, premeditar, maquinar, enredar.
Urdidura	Ato de urdir, armar um plano para atingir um objetivo.
Urge	De urgir – fazer com urgência, não adiar, apressar.
Usufrutuário	Aquele que tem direito ao usufruto, direito de posse, beneficiário, usuário, desfrutador.

Usurpam	De usurpar – apoderar-se indevidamente de algo, adquirir por fraude, apossar-se.
Utopia	Fantasia, sonho, ilusão, ficção.
Utópico	Que não é real, fantasioso, imaginário, ilusório.

V

Vacuidade	Estado, condição ou qualidade do que é ou está vazio, vazio moral, intelectual ou espiritual.
Vanglória	Glória, exibição, vaidade, ostentação.
Vãs	O que está fora da realidade, inúteis, levianas, vazias.
Vaticinou	De vaticinar – profetizar, predizer.
Venal	Aquele que se vende, corrupto, subornável, corrompido.
Ventura	Êxito, felicidade, fortuna, alegria.
Verdugo	Indivíduo cruel e desumano, carrasco, algoz.
Veredas	Caminhos estreitos, atalhos, sendas.
Vigem	De viger – vigorar, valer.
Vigente	Que está em vigor, que vigora, que está valendo.
Vil	Ordinário, infame, desprezível, mesquinho (plural – vis).
Vileza	Baixeza, indignidade, infâmia, mesquinharia.
Viceja	De vicejar – fazer germinar, manifestar-se com força, desabrochar, desenvolver, crescer.
Viso	Cunho, base, fundo, aspecto.
Vociferando	De vociferar – esbravejar, berrar, bradar, reclamar.
Volúpia	Prazer dos sentidos, grande prazer.

Z

Zelote	(Do hebraico *kanai – kana'im*) – Aquele que zela pelo nome de Deus. Membro de um partido judaico do tempo de Jesus, que incitava o povo a lutar contra o domínio romano.
Zimbório	Cúpula, firmamento, abóbada celeste.

Anotações

Anotações

Este livro foi impresso na
LIS GRÁFICA E EDITORA LTDA.
Rua Felício Antônio Alves, 370 – Bonsucesso
CEP 07175-450 – Guarulhos – SP
Fone: (11) 3382-0777 – Fax: (11) 3382-0778
lisgrafica@lisgrafica.com.br – www.lisgrafica.com.br